L

d'

est le sept cent quatre-vingt-treizième ouvrage
publié chez VLB éditeur.

La collection « Fictions »
est dirigée par Jean-Yves Soucy.

L’auteure a reçu du Conseil des Arts du Canada une bourse pour l’écriture de ce roman.

VLB éditeur bénéficie du soutien de la Société de développement des entreprises culturelles du Québec (SODEC) pour son programme d’édition.

Gouvernement du Québec – Programme de crédit d’impôt pour l’édition de livres – Gestion SODEC.

Nous reconnaissons l’aide financière du gouvernement du Canada par l’entremise du Programme d’aide au développement de l’industrie de l’édition (PADIÉ) pour nos activités d’édition.

Nous remercions le Conseil des Arts du Canada de l’aide accordée à notre programme de publication.

Le fou d'Omar

De la même auteure

The Girls from the Five and Ten, traduction de Jill Mac Dougall, théâtre, New York, Ubu Repertory Theater Publications, 1988.

Les filles du 5-10-15 ¢, théâtre, Carnières, Lansman, 1993.

Games of Patience, traduction de Jill Mac Dougall, théâtre, New York, Ubu Repertory Theater Publications, 1994.

Quand j'étais grande, théâtre, Solignac, Le bruit des autres, 1994.

Jeux de patience, théâtre, Montréal, VLB éditeur, coll. « Théâtre », 1997.

Quand le vautour danse, théâtre, Carnières, Lansman, 1997.

Le bonheur a la queue glissante, roman, Montréal, l'Hexagone, coll. « Fictions », 1998 (prix France-Québec – Philippe Rossillon) ; Montréal, Typo, 2004.

Maudite machine, théâtre, Trois-Pistoles, Éditions Trois-Pistoles, 1999.

Splendide solitude, roman, Montréal, l'Hexagone, coll. « Fictions », 2001.

La felicità scivola tra le dita, traduction d'Elettra Bordino Zorzi, roman, Rome, Sinnos Editrice, 2002.

Les rues de l'alligator, théâtre, Montréal, VLB éditeur, 2003.

Abla Farhoud

Le fou d'Omar

Roman

vlb éditeur

VLB éditeur
Une division du groupe Ville-Marie Littérature
1010, rue de La Gauchetière Est
Montréal (Québec) H2L 2N5
Tél. : (514) 523-1182
Téléc. : (514) 282-7530
Courriel : vml@sogides.com

Maquette et illustration de la couverture : Louise Durocher

Catalogage avant publication de Bibliothèque et Archives Canada

Farhoud, Abla, 1945-
Le fou d'Omar
(Fictions)
ISBN 2-89005-900-6
I. Titre.
PS8561.A687F68 2005 C843'.54 C2004-941925-0
PS9561.A687F68 2005

DISTRIBUTEURS EXCLUSIFS :

• Pour le Québec, le Canada et les États-Unis :
LES MESSAGERIES ADP*
955, rue Amherst, Montréal, Québec H2L 3K4
Tél. : (514) 523-1182
Téléc. : (450) 674-6237
* Filiale de Sogides ltée

• Pour la Belgique et la France :
Librairie du Québec / DNM
30, rue Gay-Lussac, 75005 Paris
Tél. : 01 43 54 49 02
Téléc. : 01 43 54 39 15
Courriel : liquebec@noos.fr
Site Internet : www.quebec.libriszone.com

• Pour la Suisse :
TRANSAT SA
C. P. 3625, 1211 Genève 3
Tél. : 022 342 77 40
Téléc. : 022 343 46 46
Courriel : transat-diff@slatkine.com

Pour en savoir davantage sur nos publications,
visitez notre site : www.edvlb.com
Autres sites à visiter : www.edhomme.com • www.edtypo.com
• www.edjour.com • www.edhexagone.com • www.edutilis.com

Dépôt légal : 1er trimestre 2005
Bibliothèque nationale du Québec
Bibliothèque nationale du Canada

ISBN 2-89005-900-6

À la mémoire de mon père,
sa mémoire qui nous a nourris,
celle qu'il nous a léguée,
et celle qu'il a emportée avec lui…

Pour mes enfants, Mathieu et Alecka.

Morceau par morceau un homme arrachait sa vie de sa poitrine, et en cette heure-là, moi, qui étais encore un enfant, j'aperçus pour la première fois, d'un œil hagard, les profondeurs inconcevables du sentiment humain.

STEFAN ZWEIG

Le livre de Lucien Laflamme

Les corps qui peuplent cette voûte du ciel
Déconcertent ceux qui pensent.
Prends garde de perdre le bout
du fil de la Sagesse,
Car les guides eux-mêmes ont le vertige.

OMAR KHAYYĀM

D’habitude, je les vois sortir leurs sacs à ordures. Une fois par semaine, au moins. On se salue, c’est tout. Bonjour bonjour, bonsoir bonsoir, pas plus. Quand je les croise dans la rue, le père me salue d’un petit geste de la main droite qui touche sa poitrine, va vers son front et revient à sa poitrine, une manière de saluer que j’ai seulement vue dans des films. Le fils, qui dépasse son père d’au moins une tête, me sourit timidement. Je fais de même. Jamais plus. Et chacun continue son chemin. On n’a jamais parlé, jasé, placoté, engagé la conversation, échangé, comme on dit de nos jours.

Y a belle lurette que je ne les ai pas vus, c’est l’hiver, bon, mais quand même. Le garçon laisse sortir ses chiens dans la cour de temps en temps…

Ça fait quinze ans que j’ai acheté ma maison juste à côté de la leur, et on n’a jamais troqué un traître mot ! Je sais qu’ils parlent très bien ma langue, je les ai souvent entendus se parler en français, surtout les enfants quand ils habitaient encore là. Avec leurs parents, ils parlaient toujours leur langue. Depuis que leur mère est morte, je n’ai plus vu les trois autres.

C’est drôle d’entendre une langue qu’on ne connaît pas et d’essayer d’imaginer ce qui se dit. La langue arabe est réputée pour sa poésie, quand je la lis en traduction, je trouve que c’est vrai. C’est très beau. N’empêche qu’au début, j’avais l’impression qu’ils s’engueulaient tout le temps, peut-être à cause des sons gutturaux. Un jour, je les ai entendus s’engueuler vraiment, j’ai bien vu la différence ! Et pas rien qu’une fois. Du Moyen-Orient ou de l'Afrique du Nord?, je le sais-tu, moi?! Si j'avais pas des sauvages comme voisins, je le saurais!

Mes anciens voisins, quand j'habitais le Mile-End, étaient iraniens et parlaient le farsi. Turaj et sa femme, Maral, tellement plus sympathiques, plus avenants, rien à voir avec ces voisins-là. Ils nous invitaient chez eux, ma femme et moi, et je les invitais chez nous. On se voisinait, quoi! Ils m'ont appris des tas de choses de leur pays, la Perse antique, c'est passionnant, et même l'histoire de l'Iran moderne; je leur ai parlé de notre histoire, plus courte peut-être, mais non moins passionnante; je leur ai montré du pays, le Québec, c'est grand, ils ne connaissaient que Montréal, le Québec n'est pas que Montréal, tout comme la France n'est pas que Paris. Ils m'ont fait goûter leur cuisine et, moi, je leur ai fait découvrir la nôtre. Je leur ai appris à faire du ragoût de pattes de cochon – sans cochon puisqu'ils sont de religion musulmane – avec des carrés de pâte maison et de la farine brûlée, comme le faisait ma mère, et de la vraie tourtière de chez nous, à ne pas confondre avec le pâté à la viande que les Montréalais appellent tourtière.

C'est étonnant quand même, qu'après quinze ans, je me demande encore qui sont mes voisins! C'est bizarre… Mais c'est eux qui sont bizarres! Je peux pas faire plus que plus, et c'est pas faute d'avoir essayé. Une rencontre ça se fait à deux sinon c'est du harcèlement, de la violation. Je suis curieux mais pas indiscret. Ils ne veulent rien savoir de personne, ça se voit: quelqu'un de fermé qui ne veut créer aucun lien, ça se voit tout de suite! Cette famille-là, on a rien qu'à regarder, pas besoin d'être fin psychologue, il y a quelque chose qui va pas. Quand la mère vivait, c'était un peu mieux. C'est la seule avec qui j'ai réussi à échanger quelques mots. C'était il y a trois quatre ans, une belle journée, elle travaillait dans son jardin et moi dans le mien. À un moment donné, nous nous sommes relevés en même temps, chacun de son côté, moi pour remettre mon dos en place, et elle, parce qu'elle avait fini de remplir son panier. Presque face à face, la clôture entre nous deux, nos visages à découvert… Après la seconde de surprise, elle m'a souri et m'a dit: « Aimeriez-vous quelques tomates, monsieur notre voisin, j'en ai beaucoup. Prenez, si le cœur vous en dit. » Elle m'a tendu son panier plein: « Prenez, je vous en prie, ça me ferait plaisir! » Un peu gêné, j'ai quand même pris une tomate ou deux. « Encore, encore! Vous avez un panier? » Elle a rempli mon panier. J'ai à peine eu le temps de lui dire merci, je me suis penché pour déposer mon panier, me suis relevé, elle n'était déjà plus là.

Elle avait une belle voix un peu rauque, une espèce d'autorité naturelle, un sourire un tantinet mélancolique, et, elle parlait admirablement le français… Je l'aurais écoutée des heures, il me semble, et j'aurais tant aimé lui demander tout ce que je me demande quand je regarde de leur côté. Mais j'ai bien peur que je le saurai jamais. Je me souviens de son « aimeriez-vous », une forme qu'on n'entend pas souvent. Je me souviens que j'avais raconté l'incident à ma femme à son retour du bureau et que nous nous étions mis à plaisanter en nous vouvoyant. « Prenez, si le cœur vous en dit » m'est resté dans la tête, et je m'amusais souvent à le redire en pensée ou, tout haut à Louise, quand ça adonnait. Et je ne sais pas pourquoi, cette phrase-là, je lui trouve une ressemblance avec cette famille-là. Quand je vois le père et le fils sur leur balcon en train de bavarder dans une langue que je ne comprends pas, on dirait que le cœur est au centre de ce qu'ils se disent, de ce qu'ils vivent. Ils sont tellement unis, comme accrochés l'un à l'autre depuis que la mère est morte – et même avant –, que ç'a presque pas de bon sens. Tellement loin de ce que j'ai connu avec mon père et avec mon fils. Quand le fils met son nez dehors, le père suit. Quand le père met un pied dehors, le fils suit. Le père fait le tour du jardin, le fils fait le tour du jardin. Je sais pas pourquoi je dis encore jardin, c'est devenu une cour à l'abandon. Plus aucune fleur, aucun légume, ça fait pitié à voir. Moi qui aime la nature et la beauté, je suis servi à souhait !

C'est la mère qui s'occupait de garder tout ça vivant... Bien que... Avec toute son ardeur au travail, toute sa volonté de garder ça beau, il y a quelques années, ç'a été un désastre. On était début septembre, il était vers neuf heures du matin, j'étais en train de prendre un deuxième café sur mon balcon quand j'ai entendu des voix venant de chez eux, et que j'ai vu le fils sortir de la maison aussi vite qu'une flèche en feu. Ses parents l'ont suivi et ils sont restés pétrifiés sur le pas de la porte. Il a descendu les marches à une vitesse vertigineuse, il a traversé le jardin en arrachant tout ce qu'il y avait de fleurs et de plantes sur son passage et en piétinant tout ce qu'il n'avait pas pu arracher. À grands coups. À une vitesse effrayante. Un vrai saccage. C'était terrible à voir. J'ai senti le cœur de ses parents s'arrêter. Ils étaient foudroyés. C'était ni mon jardin ni mon fils, mais j'avais mal, moi aussi. Parce que je voyais, à l'œuvre, devant mes yeux, la déraison. Non pas la méchanceté, mais la déraison. Un train qui déraille, une avalanche, un volcan qui se déverse. De la démence. Le père et la mère, de ce que je pouvais voir, avaient, on aurait dit, rapetissé. Deux petits poulets qu'on aurait déplumés. Ils étaient devenus fragiles et vieux, démunis. Nus. Le garçon avait tout ravagé dans l'espace de quelques secondes et il a filé vers la rue par le côté de la maison. Les parents se sont précipités à l'intérieur et j'ai fait de même. Je les ai revus sur le balcon d'en avant. Le père implorait son fils. Je ne sais pas ce qu'il lui demandait, mais le garçon ne s'est même pas retourné. Je l'ai vu prendre la première rue à gauche, à deux maisons de la mienne. Je suis rentré et je suis allé tout droit sur le balcon arrière. Les parents étaient déjà sur le leur, essayant, comme moi, de le revoir au-delà des cours des maisons qui nous séparaient de la première rue. J'ai aperçu sa chevelure noire tout ébouriffée. Puis, il a disparu. J'imaginais cette femme qui m'avait dit quelque temps auparavant: « Prenez, si le cœur vous en dit. » J'imaginais l'état de son cœur.

Quelqu'un qui n'aurait jamais vu ce garçon, avant d'assister à cette scène, aurait peut-être pensé à de la colère, à de la rage, à du vandalisme, mais, j'étais sûr que c'était autre chose, beaucoup plus grave, quelque chose qui dépassait l'entendement. Parce que sans le connaître, je connaissais ce garçon. Je le connais, enfin, je le connais... Je le vois assez régulièrement depuis une quinzaine d'années. Je l'ai vu aider sa mère à préparer son jardin, je l'ai vu se lever sans rechigner et aller lui chercher quelque chose qu'elle avait oublié dans le garage ou dans la maison, je l'ai vu arroser le jardin, je l'ai vu prendre des cafés avec son père. Je l'ai vu lire, pendant des heures quand il était plus jeune, et moins longtemps en vieillissant. Je l'ai vu écrire dans un cahier épais. Qu'on le veuille ou non, il y a des attitudes qui ne mentent pas. J'ai vu de la douceur dans ses gestes, juste sa façon de refermer son livre, d'en caresser la couverture, de le déposer sur la table avec minutie, en faisant très attention de ne pas renverser le café. Les premières années, je le voyais partir avec son sac et son costume propre pour le collège ou l'université. Les corps parlent si on sait regarder. À mesure qu'il vieillissait, ses gestes devenaient plus hésitants, sa démarche aussi, c'est vrai, mais il avait toujours beaucoup de douceur. De la délicatesse. Combien de fois je l'ai vu accroupi, en train de sentir une fleur, ou cueillir une tomate, l'essuyer avec précaution, la porter à son nez, la humer longuement avant de la manger. Cette furie dans le jardin, ce bulldozer, ça ne pouvait pas être lui. Celui qui a saccagé le jardin, ça ne pouvait pas être le garçon que je connais, et pourtant, je sais bien que c'était lui.

Il avait dix-neuf vingt ans quand je suis arrivé dans le quartier, et comme tout le monde vieillit, pas seulement moi, il doit bien avoir dans les trente-cinq ans. Et pourtant quand je pense à lui, c'est toujours le mot « garçon » qui me vient, ou, des fois, « le fils du voisin ». Ce garçon m'a toujours intrigué. Juste penser à lui, ça peut me revirer à l'envers des fois, je ne sais pas pourquoi, j'ai pour lui de l'attachement, de la tendresse, je ne sais pas comment ça peut être possible... Bête de même, comme disait mon père.

Souvent une petite phrase me vient et s'en va comme elle est venue : Et si c'était *mon* garçon ?... *mon* fils ?

Mon regard est toujours attiré de leur côté, je ne sais pas pourquoi. Je suis curieux de nature, c'est vrai, j'aime regarder les gens. Y a au moins six maisons autour que je peux voir d'en avant, d'en arrière, et que je peux regarder tant que je veux, sauf l'hiver quand le monde est encabané et encarcané. Mais on dirait que ces voisins-là attisent ma curiosité, gardent mon intérêt en éveil, et ma frustration. Oui, ma frustration... Je me sens comme un enfant à qui on veut cacher quelque chose. Le garde-manger chez nous quand j'étais petit restait grand ouvert avec plein de bonnes choses à manger, sauf les biscuits au chocolat qui étaient sous clé ou, en tous les cas, cachés. J'haïssais ça ! J'avais beau promettre à ma mère que j'allais être raisonnable, que j'en mangerais pas plus qu'il faut, rien à faire, elle les cachait pareil. Les biscuits au chocolat sont peut-être devenus mes préférés parce que ma mère les cachait... Ça m'enrageait tellement que je finissais toujours par trouver ses cachettes.

Le livre
de Radwan Omar Abou Lkhouloud

> Pour son malheur, il a poussé des ailes à la fourmi.
>
> CERVANTÈS

Father. My Father. My father is. My father is dead. La seule phrase qui me vient. La seule qui m'est venue. En arabe ça marchait pas. Bayé mètt, bayé mètt, ça sonnait comme jingle bell, jingle bell. C'est pas que je me sentais le cœur à la fête. Je sentais rien du tout. Bayé mètt. Il a rendu l'âme comme ils disent dans les livres. Dans son sommeil. Ça fait longtemps qu'il s'en allait tranquillement. But now he's dead as a door-nail. Dead as a mutton. My father is dead and I'm dead loss. D'habitude c'est lui qui se réveillait le premier. Il se faisait un café, buvait son café et attendait que je me réveille pour en faire une plus grosse cafetière. Radwan… Radwan… mon fils… réveille-toi. Des milliards de fois depuis des années. Comme une litanie. Supplication. Supplique. Supplice. Ces derniers temps, il s'en retournait se coucher. C'est moi qui le réveillais. Il se rattrapait sur le café. Le nombre de cafés que cet homme-là a bu dans sa vie aurait rendu l'Afrique riche si les Africains encaissaient tout l'argent qui leur revient. Mon père et moi, on aime le café. Quand ma mère vivait encore, elle me laissait jamais tranquille. Fallait manger. Même si j'avais pas faim. On pouvait pas juste fumer et prendre notre café tranquille. Avec baba, on peut. La liberté est un muscle. C'est ce qu'un philosophe a dit l'autre jour à la radio. Sacrament que je l'ai trouvée bonne. J'ai cherché dans l'encyclopédie corps humain, système musculaire, le nom des muscles. Plus de six cents muscles. Aucun ne s'appelle Liberté. Ça fait des années que j'habite avec mes parents, puis seul avec mon père. Assez longtemps pour que ce soit mes parents qui aient l'air d'habiter chez moi. C'est ce que les Israéliens ont fait. Ils ont laissé faire le temps. Le fait accompli. Au début, je disais, je vis chez mes parents pour quelques jours, le temps de me revirer de bord, je viens de me séparer, ma femme est partie avec mon fils, j'ai dû vendre ma maison. J'étais bien habillé, toujours avec un beau sac en cuir, genre attaché-case. Des souliers bien cirés. Les gens me croyaient. Avec le temps, j'ai commencé à dire, mes parents habitent chez moi, ils sont vieux, veulent pas aller dans une maison de vieux, je suis leur fils unique. Tu veux toujours faire bonne impression, même avec des gens que tu ne verras plus jamais, que tu sais très bien que tu ne verras plus jamais, tu trouves moyen d'embellir ta vie. Je sais pas pourquoi. Qu'est-ce que j'en ai à chier des gens que je ne verrai plus jamais. Pas moyen de leur dire ce qui est vrai. J'embellis. J'ai toujours besoin d'embellir. Même quand j'étais tout nu dans rue, que j'allais dormir à la Maison du Père, je faisais attention à mes chaussures. C'est dans les pieds que tout se joue. On fait jamais assez attention aux pieds. Il me restait juste deux piastres dans les poches et je rentrais chez le cordonnier. Les souliers brillants. Je devenais. Bayé mètt. Pappa è morte. La vita vale la pena. Gli uni piangono, gli altri gridano. Mon ami italien savait pas très bien parler le français. J'ai eu le temps d'apprendre l'italien avant que lui apprenne le français. C'est pas grave dans quelle langue. Pourvu qu'on arrive à se parler. C'est ça qui m'a manqué le plus ces derniers temps. Parler. Que quelqu'un m'écoute et me réponde. Juste entendre ma voix en dehors de ma tête. Entre deux bouffées de cigarette. Mon père était trop parti. Je m'ennuyais même de ses colères. De ses rêves enflammés. Inachevés comme ceux de Brel. Qui brûlaient l'espace d'une envolée lyrique. Qui faisaient briller ses yeux. Qui m'embarquaient avec lui. Même les jours où j'arrivais plus à rêver, ni à parler. Ni à penser que la vie pourrait arriver jusqu'à aujourd'hui. La vita vale la pena. Piangono. Piangono. Gridano. Gridano. Les rages de mon père ou rien. C'est sûr que. Dans les premiers jours, je me disais c'est la sagesse. Mon père est devenu sage que je me disais. Il commence à accepter la vie. La vie telle qu'elle est. Beaucoup espéré la sagesse de mon père. Je me disais c'est pas possible qu'un homme soit en maudit toute sa maudite vie. Quand on est vieux, on retourne à son enfance. Il a eu une belle enfance, c'est ce qu'il nous a toujours dit. Sauf la mort de son père qui le fait toujours pleurer. C'est à peine s'il arrivait encore à se faire du café. Il était plus là, mon père. Passé de l'autre côté de l'enfance, là où il y a rien. Je me suis ennuyé. Je me disais, il va remonter la côte. Moi j'en ai remonté des côtes, pas rien qu'une. Je vois pas pourquoi il y arriverait pas, lui aussi.

Mon père est mort et moi, je sais pas quoi faire. Il faut vider la chambre, mon fils, chez les musulmans, il faut tout enlever ce qui rappelle la vie. Oui, père. Oui. Il faut. Oui, père, oui.

Je pourrais téléphoner aux autres. Ils pourraient venir tout arranger. Comme ils l'ont fait quand ma mère est morte. Je pourrais. Juste l'idée. Voir leur dédain. Leurs grimaces. Leurs faces. Bush George W., à côté de mon frère qui se prend pour un grand écrivain, est un homme humble et plein de bons sentiments. Je ne téléphonerai pas. Oui. Il le faut. Premièrement, mon frère Rawi et mes sœurs Salma et Nabila détestent notre père. Ils avaient hâte qu'il meure. J'en suis sûr. Deuxièmement, ils me détestent. Ils ont honte de moi. Je suis le chewing-gum qu'ils arrivent pas à décoller de leur talon. La tache de naissance qu'aucun chirurgien est capable de scalper. Le cauchemar qui revient les réveiller quand ils pensent que c'est fini et bien fini. Qu'ils mangent de la merda. Merda. Merda. J'en ai assez mangé. Prends-toi en main. Donne-toi un coup de pied dans le cul. Faut pas se laisser aller comme ça. Quand on veut on peut. Aide-toi et le ciel t'aidera. La paresse c'est la mère de tous les vices. Force-toi. Bouge-toi. Grouille. Arrête de caresser ton nombril. T'es capable. Y a personne qui peut le faire pour toi. Arrête de t'apitoyer sur ton sort. Entendre ces mots-là. Je pourrais tuer. Remonter la côte. Quand t'es en bas de la terre, une côte c'est l'Himalaya. Je le sais. J'en ai assez souvent remonté. Khara-merde-shit-merda. Down is shit, up is shit. Middle is dull. Captain o my captain. *To die, to sleep – No more. To die, to sleep – To sleep, perchance to dream – ay, there's the rub ; For in that sleep of death what dreams may come.*

Hamlet Hamlet don't cry, my son, don't cry. Do something. Do something. Do. Do. Agado do do.

Mon père le meilleur cheerleader du monde. Il m'a pas seulement encouragé comme un père doit le faire, il m'a trop encouragé. Trop encouragé. Trop. Trop. Trop. Tout ce que je faisais n'était jamais assez beau, jamais assez grand pour lui. Je valais mieux que ça à ses yeux. Son fils Radwan valait mieux que tout ce que Radwan arrivait à faire. Une marche après une autre, un pas, puis un autre, puis un troisième, c'est trop long, trop simple, trop ordinaire, pas assez prince arabe à son goût. Fallait arriver tout de suite. Le premier. Et même si j'arrivais le premier, c'était pas assez. Il aurait fallu sauter de classe. J'ai tellement de fois sauté de classe que j'ai sauté une coche. J'ai pété les plombs bien des fois. Sans les plombs, le circuit électrique capote. Une coche qui saute et tout l'engrenage est hors de contrôle. C'est l'histoire de ma vie. Point à la ligne. J'ai tellement aimé l'émission *La petite vie*, et *La Vie la vie*, je l'ai aimée un peu beaucoup à la folie. Et Sol, c'est mon pote. La télé ça peuple mon île. Si j'avais pas de télé, je. J'apprends des expressions à la mode. Des fois, pendant des semaines d'affilée, je regarde la télévision en anglais. L'Amérique dans toute sa splendeur. Where are you Canadians? Une sitcom attend pas l'autre, en veux-tu en voilà. Les vingt-quatre millions de sans-abri états-uniens, le Canada entier sans toit, sans moi, on les voit jamais. *The Grapes of Wrath* à PBS, les beaux yeux bleus de Henry Fonda pleins de raisins de la colère. Que des émissions qui coûtent la peau des fesses de violence gratuite, d'autos écrabouillées, sky is the limit, american way of life, qui vident la tête si elle est pas déjà vide. Sauf dans les moments de crise à cause des attaques terroristes ou des ouragans, des tremblements de terre ou autres acts of God qui nous montrent que America is great, Americans are great, God is an American et les Arabes sont des enfants de chienne et des pourris. Devant ma télé, seul parce que mon père, lui, aime mieux la radio qu'il écoute à longueur de journée, je ris. Puis quand je suis écœuré de rire, je reviens au français pendant quelques semaines pour m'apercevoir que je suis à Pointe-aux-Trembles, que mes voisins se mettent à être stressés, à être fédéralistes ou indépendantistes, à vouloir s'exprimer à tout prix, à vouloir dire la vérité toute la vérité juste la vérité à leur père, à leur mère, à leurs voisins, à leurs chums, à leurs patrons, parce qu'il faut rien refouler, parce que dire tout tout tout c'est la chose la plus importante au monde, la voix de la guérison, ou la voie, en français c'est le même mot. D'après la télé, à part les annonces de bouffe dégueulasse, le monde veut manger santé, bio, c'est encore mieux, médecines douces parce que les hôpitaux sont en train de ressembler aux hôpitaux du tiers-monde, des prières et des shows pour envoyer de l'argent aux Américains quand il y a tant de misère dans le monde, et disent tout haut et répètent encore et encore qu'on est donc bons, nous autres les Québécois, si personne le dit, on va au moins le dire nous-mêmes. Et ils arrêtent pas de se moquer des Français, pour rire, ou même sérieusement, d'imiter leur accent pointu et tout. Je sais pas si de descendre les Français va faire qu'ils vont se sentir supérieurs à eux. Je me dis que si les Français se moquaient autant des Québécois, ils capoteraient, les Québécois, ils le supporteraient pas. Ils me font penser à mon père avec moi et moi avec mon père, je l'aime, il m'aime, et des fois on pouvait pas se sentir, on se haïssait pour mourir.

Sans la télévision, je démissionnerais. J'aurais débarqué depuis longtemps. Dans une seule soirée, je peux entendre des milliers de choses, voir des milliers d'images. Ça m'éloigne de ma vie. C'est ce que je veux. Ça m'éloigne, mais ça me rapproche, ça me raccroche. Quand j'arrive pas à dormir, j'ai juste à rallumer. Il y a toujours quelque chose pour repartir, pour me tenir en vie. Almost. I'm almost alive. Entre perdre mon père ou vivre avant l'invention de la télévision, je choisirais…

Mes parents ont toujours voulu que leurs enfants soient les meilleurs au monde et les meilleurs amis du monde, qu'ils s'entraident, qu'ils s'aiment, et cetera. C'est normal pour des parents de vouloir ça. Mais pour mes parents c'était doublement normal. On était seuls au monde. Je veux dire que notre famille n'avait ni oncles ni tantes ni cousins ni cousines ni voisins ni amis. On vivait comme dans une île perdue au milieu d'un océan gelé. Il y avait mon père, ma mère, mes grandes sœurs Salma et Nabila, moi Radwan, mon frère Rawi qui s'appelait pas encore Duranceau, Hafez qui n'avait pas encore pris la poudre d'escampette et Soraya qui n'était pas encore morte. On était bien mieux de s'aimer et de s'entraider. Personne d'autre pour le faire à notre place. Dans ma tête et dans mon cœur, j'ai trois sœurs et un seul frère. Hafez, lui, est parti mon kiki. Nous a rayés de sa liste. Nous aussi. On l'a rayé de nos cœurs. J'oublie même son nom. Tant pis. *L'amour et la haine ce sont mes enfants…*

Je pouvais tout demander à ma fratrie et je savais qu'ils feraient tout pour moi, comme j'aurais tout fait pour eux. C'était quasiment dans nos gènes cet amour-là. C'est pas pour rien qu'à la télévision, quand ils veulent nous faire rire avec des personnages d'Arabes, ils commencent toujours par « mon frère » en roulant les « r » pour faire rire encore plus. Beau tapis pas cher, mon frère, pour toi pas cher du tout, presque balèch. C'est vrai que le mot frère n'a pas le même sens en français qu'en arabe. Un mot c'est pas grand-chose dans le fond, c'est ce que tu y mets dedans qui est important. Moi, je sais ce que je mets dedans. Je le sais. Un frère, c'est pour la vie. Beau temps, ta blonde est là si tu en as une, mauvais temps, c'est ta sœur et ton frère qui sont là. Pour toi. Toujours. C'est ce que je pensais.

J'ai bu toute l'eau de leur puits. Même toujours a des limites. Pendant des années et des années, c'est moi qui avais besoin d'eux. Je les ai épuisés, c'est le cas de le dire. Pendant que la vie passe, tu le sais pas, tu sais pas ces choses-là, c'est quand la vie s'arrête que tout devient clair. C'est pas vraiment de ma faute. Quand la vie s'arrête, même le mot faute perd de sa force. Le destin, ça veut dire quoi ? Moi, j'aurais choisi un autre destin si j'avais pu choisir.

Dear God, this planet is falling apart. My father is dead. I don't know what to do. Un musulman doit être enterré dans les vingt-quatre heures. God help me.

My father is dead and I'm not. Ça me fait rire. En disant not je vois nut. I'm a nut, you're a nut. Mon père n'a jamais employé ce mot-là parce qu'il m'a toujours parlé rien qu'en arabe. Il n'était pas du genre à mélanger les langues, lui. Surtout depuis qu'on est arrivés au Québec. Au Liban, ça lui faisait rien qu'on parle le français ou l'anglais avec lui. Ici, il a viré boutte pour boutte comme ils disent, c'était l'arabe, juste l'arabe, rien que l'arabe. OK chef, you're the boss. Noix est un beau mot en arabe. Jawz ou lawz, on pourrait jamais insulter quelqu'un avec noix ou amande. Aucun bon sens, ces histoires de langues. Ou peut-être que. Si j'avais traduit mot à mot ce qu'il me disait, j'aurais ri au lieu de m'en faire pour rien. Dans un sens, on s'en fait toujours pour rien. Le seul mot qui aurait gardé son sens, c'est merde, shit, khara. Mais pour le reste. Peut-être que pour le reste. Ma théorie, j'aurais dû la développer avant. Maintenant, elle me sert plus à rien. Dans ma tête, seul dans ma tête, je peux penser dans la langue que je veux. Seul dans ma tête je me comprends, des fois je me comprends pas. Je peux traduire toutes les expressions qui me feront rire. Mais. Souvent quand je repense à un film que j'ai déjà vu, je sais pas si je l'ai vu en anglais, en français, et même en italien. En arabe, c'est tellement rare que j'en vois. Je me souviens juste de. Les indépendantistes québécois veulent s'identifier à la langue québécoise ou française, c'est selon, les juifs et les islamistes à leur religion ou à l'argent, les Américains we are Americans, we are the best. Quand on n'arrive pas à choisir, ni une langue, ni une religion, ni we are Americans, on s'identifie à quoi, à qui, avec qui? Dans le fond, je m'en fous, j'en ai rien à cirer. Je l'aime cette expression-là. Ça fait pas longtemps qu'on l'entend à la télé. Je m'en tape. Je sais pas si ça prend un p ou deux. Noyer le poisson. Une autre belle expression. C'est ce que je fais. J'essaye de toutes mes forces de noyer le poisson. Je sais pas quoi faire. J'ai téléphoné à mon frère qui habite Key West. Six mois ici, six mois là-bas. J'ai raccroché. J'ai téléphoné à ma sœur qui habite en Belgique. J'ai raccroché. J'ai décidé que je téléphonerais à personne. Fuck. Fuck. Fuck. Je me sens bien quand je dis fuck. Ils avaient juste à pas nous abandonner. Qu'ils mangent un char de marde. Ils vont se mordre les doigts jusqu'au nombril. C'était leur père autant que le mien, les hosties. Cet homme-là nous a nourris. Quand même. L'argent tombait pas du ciel. Il a travaillé comme un malade. Il nous a envoyés dans les meilleures écoles. Les ingrats. Bande de dégénérés. Ils ont beau changer de nom, changer de vie. Faire semblant que. La vérité c'est qu'on est pris avec notre passé. L'ingratitude, ça fait juste empirer les choses. Juste pour leur donner une bonne leçon. Ils vont se réveiller un jour, vieux comme leur père, vont se mettre à marmonner bayé, bayé, bayé. À l'âge de la mort, y a pas grand-chose qui reste debout. Que tu sois Ben Laden ou Bush ou Duranceau, comme mon frère se fait appeler, ça change rien, tu balbuties daddy, mommy, papa, maman, bayé, immé. Parce que c'est tout ce que t'es encore capable de dire. Le reste, tu l'as oublié. Je le sais, je suis mort bien des fois. Mon père les avait comptées. J'aime mieux pas m'en souvenir.

J'aurais voulu être un écrivain. Écrire toute la souffrance de mon père, de ma mère, la mienne aussi. Sinon à quoi ça sert ? Je voulais être écrivain, c'est mon frère qui l'a été. Il m'a volé les deux métiers que je voulais faire. Historien et écrivain. Il écrit de gros livres d'histoire romancée. Je déteste. C'est pas de vrais romans et c'est pas de l'histoire. Je connais assez l'histoire pour savoir qu'il ment. Il arrange tout ça pour que ses livres se vendent. Ben oui, il est riche, et après. Il ment. Il n'écrit rien sur nous. Au moins pour qu'on se reconnaisse un peu. Nos histoires à nous sont pas assez bonnes pour monsieur. Un jour il m'a demandé as-tu lu mon dernier livre ? Il veut toujours qu'on lise ses livres. J'en ai rien à chier de ses livres. Je l'avais lu son dernier livre en espérant qu'il soit allé un peu plus loin dans la misère humaine, dans le cœur des choses. Mais non. De la frime. Mais ça plaît, ça se vend, alors il continue. Je l'ai lu ton livre. Qu'est-ce que tu en penses ? Tu veux que je te dise la vérité ? Seulement si tu l'as aimé.

Seulement si tu l'as aimé ! Il veut entendre que des louanges, tout le monde autour de lui l'encense. Je suis son frère, pas un encensoir.

J'aurais aimé qu'il écrive sur nous. Me reconnaître dans ses écrits. Tant qu'à me voler mon métier, aussi bien me voler ma vie. Que je devienne un héros. Que les gens sachent qui je suis, pourquoi j'ai vécu, pourquoi je vais mourir seul comme les chiens que j'ai ramassés dans la rue, galeux, malades.

Je mourrai sûrement avant d'être malade physiquement. J'ai eu mon lot, mon crisse de voyage. Enough is enough. Tout a une fin, même la maladie, même le succès, c'est ça que mon frère sait pas. Les quarante pilules par jour pendant dix-neuf ans ont pas réussi à m'achever. Je suis fort comme un cheval. C'est la seule chose que j'ai reçue comme cadeau en naissant. Ça rend les médecins fous. Ils auraient voulu que je meure à cause de leurs mauvais traitements. Ils savaient pas que j'avais le pouvoir de renaître. J'ai vécu dix-neuf naissances au moins, sans compter les demi-morts et les demi-naissances. Si j'étais écrivain comme mon frère, j'en aurais des choses à raconter, et j'aurais pas besoin comme lui de me cacher derrière des personnages historiques.

My father is dead and I'm alive. Almost alive. Living in Montreal, somewhere in what they now call Montréal. J'aimais mieux Pointe-aux-Trembles. Tant qu'à être nowhere, j'aime mieux être nowhere. Je voulais être historien, puis écrivain, puis rien. Y en a beaucoup qui pensent que rien c'est facile, ils ont juste à essayer pour voir.

Je pourrais retomber, décoller, capoter, m'envoler en hélicoptère ou rentrer sous terre, mais qui prendrait soin de mes chiens. Ils sont cinq. Ils comptent sur moi. On ferait pas ça à des enfants, j'ai pas d'enfants, j'ai des chiens, cinq beaux chiens presque en santé. Est-ce que les chiens peuvent manger la chair humaine ?

J'ai trouvé un nom de plume. Y a pas juste lui qui est capable d'écrire. Moi aussi. Ben Bella, c'est mon nom d'écrivain. Non. Je pense que je vais garder mon nom, mon vrai nom, Radwan Omar Abou Lkhouloud, même si je ne suis pas né sous une bonne étoile. Un peu long pour les autographes. Madame, votre fils n'est pas né sous une bonne étoile, allez-y, un deux trois go, tirez, tirez, ne poussez pas, ne poussez pas, dans votre ventre, rentrez-le ! Attendez une meilleure étoile ! Il n'a qu'à attendre pour naître ! Il a attendu toute sa vie, il pourra encore attendre un peu. Pourquoi maman as-tu mis au monde un fou ? Pas gentil de faire ça à son enfant. Pas gentil du tout. Pantoute. Pantoute. Maman est morte. Papa est mort. Je suis un orphelin. Pas seulement un fou. Je suis un orphelin fou, un fou orphelin. Ce sera le titre de mon récit, papa. Mon premier livre aura pour titre : *L'orphelin fou.* Et tu ne seras pas là pour être fier de moi, papa. Quel beau livre, je suis fier de toi, mon fils, je savais, je le savais, j'ai toujours cru dans ton immense talent. Allah akbar ! Et Muhammad est son prophète.

Ma tête est vide. Plus vide encore que d'habitude. C'est normal. Même le mot normal. Quand on se coupe c'est normal de saigner. C'est normal de se brûler la main quand on touche un fer chaud. C'est normal de se faire embarquer par la police quand on met le feu à la maison du voisin. Mon père est mort, c'est normal que je tourne en rond, que toute ma vie. J'ai vu ça des dizaines de fois dans des films. Un homme meurt et toute sa vie. Je suis mort dix-neuf fois. Là c'est mon père. Pas moi. C'est pas normal. J'ai jamais été normal. Ça fait que. Ça continue. Mon père est mort dans son sommeil. Il a rien vu. Mon Dieu. Je veux mourir, là, tout de suite. Je veux mourir. Je veux mourir. Je ne peux pas m'occuper de. Je suis pas capable. Jamais rien fait de mes dix doigts. Mes chiens. Les prières, mon fils. Il faut la prière. La Shahâdâ, tu la connais. Oc. Oc. Oc. Ça veut dire oui en langue d'oc. Ton fils est devenu savant, père. I will be a late bloom, father. Je fleurirai sur la tombe de mon père. Tu es mort pour moi, papa. Pour que je devienne. Pour que je naisse une fois pour toutes. Pour que je ne meure plus jamais.

À mon frère Rawi, j'ai pas besoin de faire un dessin, à mes sœurs non plus. Si je leur dis te souviens-tu des premières années qu'on a vécues ici ? ils comprennent tout de suite. Les gens les regardaient comme ils me regardaient. Comme des extraterrestres. On était des étranges et des étrangers, des musulmans. Un musulman c'est toujours un étranger parmi des chrétiens. Même s'il fait semblant que. Le juif aussi faut dire. Mais eux, ils se croient tout permis parce qu'ils ont beaucoup souffert. Beaucoup trop souffert. Victime devient bourreau. Israël, c'est moi. Je suis victime et bourreau. Je sais de quoi je cause, comme dit Renaud le chanteur.

La même enfance, belle quand même. La même maudite jeunesse. Pendant des années, on s'est sentis des extraterrestres, ça a fini par faire partie de nous. On a complètement intégré l'espèce de honte et de malaise d'être ce qu'on est. Au lieu de s'intégrer, au moins de s'adapter à notre nouvelle vie, on a intégré le sentiment d'être jamais à la bonne place au bon moment. Les huit membres de notre famille étaient agglutinés, sans même savoir que ce ciment qui nous gardait collés les uns aux autres était le sentiment d'être toujours à côté de la plaque. Jamais on n'en parlait entre nous. Ces choses-là se sentent et ne se disent pas. Chacun de nous faisait du mieux qu'il pouvait. On était tous des premiers de classe. On essayait de se faire des amis. Chacun s'est sorti de son malaise comme il le pouvait, en frôlant les murs ou en devenant arrogant. Rien qui s'appelle être soi-même dans le meilleur des mondes.

Épais. Plus épais que ça tu meurs. Va donc regarder la télé. T'es en train de te décrocher les neurones à force de penser. Entre nous on ne parlait jamais de ces choses-là. On les sentait. C'est tout. On savait que les autres, frères, sœurs, peut-être aussi père et mère, sentaient exactement la même chose que nous. Sans jamais demander est-ce que tu sens ce que je sens. On le savait.

C'est quand la bombe a éclaté. Le décollage du Boeing 747 sur le toit de notre maison. C'est arrivé à la mort de maman. C'est là qu'on a senti combien on était collés les uns aux autres. Je le sais parce que. J'avais plus de sœurs, plus de frère, plus de mère, d'un coup sec. Du jour au lendemain, mon frère Duranceau, faut-tu être malade pour s'appeler Duranceau, a décidé qu'il n'avait plus aucune raison de venir nous voir, mon père et moi. Il nous a dit ça en français. Parce que monsieur ne veut plus parler l'arabe. Il nous a répété la même chose en anglais, l'épais, comme si on avait besoin d'entendre deux fois les mêmes niaiseries. On l'a plus revu. Ça fait des années. Je ne suis pas sûr du nombre d'années. Une minute peut me paraitre une année et une année passer en une minute. Mes sœurs ont suivi. Ça leur prenait pas grand-chose pour se décider à nous haïr. Elles avaient commencé depuis longtemps. La mort de maman et les paroles de leur dieu, Pierre Luc Duranceau, c'était la petite poussée qui manquait. Et hop ! plus de sœurs ! On ne peut pas rester si longtemps collés et rien sentir quand on se décolle. Des parties de ma peau sont restées accrochées à leur peau, j'en suis sûr, ma main à couper ; des parties de leur peau que j'arrive pas à décoller de la mienne. Si j'arrivais à leur parler, je leur dirais, ils pourraient pas le nier, je suis sûr qu'ils ne pourraient pas. Ils veulent plus me parler. Les gens qui ont vécu les camps de concentration à Auschwitz ou ailleurs, ils se reconnaissent à deux coins de rue, ils se reconnaissent, pas besoin de parler, ils sentent les mêmes choses. Des choses qui ont pas de mots. Dans aucune langue. J'aurais appris toutes les langues que ce serait pareil. Y a des choses qui dépassent toutes les langues.

J'ai sauvé la vie de mon premier chien. Et depuis, sans savoir ni pourquoi ni comment, je ne suis plus jamais retombé dans la pathologie, avec police, médecins et tout ce qui s'ensuit. J'ai failli plusieurs fois. Juste failli. Mais je me rattrapais. Je m'accrochais à Bamako et je lui disais : sauve-moi. Il me léchait. Il me léchait plus que d'habitude. Il comprenait. Les chiens, ça comprend. Chaque fois que je devenais plus excité, il se mettait à me lécher. Ça me calmait. Ça me refroidissait. Tout ce qu'il y avait de mauvais s'évaporait par les pores de ma peau. Aucun humain n'a réussi ça avec moi. Quand les humains te lèchent, c'est qu'ils veulent quelque chose de toi. Lui, Bamako, voulait juste me lécher pour me faire du bien. Peut-être que c'était un adon, comme disent les vieux Canadiens français. J'ai jamais entendu un jeune dire ce mot-là. Un adon. Il y a le mot don dans adon. Les vieux Arabes auraient dit minn Allah. Pour eux tout ce qui arrive vient d'Allah. Ils mettent Allah dans chacune de leurs phrases. Le témoin de chaque chose qu'ils font, c'est Allah, de tous les mensonges, de leurs bonnes ou mauvaises actions, c'est toujours Allah, même de leur hypocrisie, c'est Allah. Quand j'étais petit, je me disais, ses oreilles doivent lui siler souvent le pauvre, il a pas juste ça à faire dans la vie, entendre son nom prononcé des milliards de fois par jour. C'est vrai qu'il a un beau nom, qui se prononce bien. God c'est beau aussi. My God. Ça fait du bien quand on le dit. *God, oh God! Revenge his foul and most unnatural murder. I am thy father's spirit.* À l'école, Allah est devenu Dieu. Je disais

Dieu comme tout le monde. J'aurais aimé qu'il y ait des prières à l'école. Comme avant. Pendant la revanche des berceaux. J'aime ça prier. Aucune prière à l'école, on ne chante même pas l'hymne national comme au Liban. Mon père, pas plus croyant qu'il faut, aurait pu nous envoyer à l'école coranique. Il l'a pas fait. Moi, je n'ai jamais rien demandé à Dieu ni à Allah ni à God. J'aime mieux François d'Assise. J'ai vu le film de Zeffirelli. *Brother Sun, Sister Moon.* Et depuis ce temps-là, je prie François. Lui aussi aimait les chiens, les bêtes, les fleurs et les oiseaux. Lui aussi a freaké ben raide. Beaucoup de grands hommes ont freaké un jour ou l'autre, ça les a pas empêchés de devenir des grands hommes. Moi, ça m'a brisé. Comment continuer à vivre avec l'idée que je ne serai jamais un grand homme. Ni même un homme. Une fourmi parmi les fourmis. Une fourmi qui a joué à la cigale. Qui a dansé tant qu'elle a pu. Seulement quand la marmite bouillait. Quand le capot sautait. La danse de singui. Saint-Guy ou singe qui. Si j'étais capable de faire un effort, je chercherais d'où vient cette expression-là. J'ai plus la force. J'arrive plus à faire d'effort. L'effort de vivre. Juste vivre. Juste pas mourir. J'ai promis à François que j'essayerais plus. De mourir. Rester en vie. C'est beaucoup. On n'a pas idée quel effort ça prend pour un gars comme moi de juste rester en vie. La première fois que j'ai dansé la danse de Saint-Guy, j'avais à peu près quatorze quinze ans, je prenais mon bain, tout heureux, personne frappait à la porte pour que je me dépêche, j'étais heureux, alors j'ai capoté. Je suis sorti de mon bain, j'ai ouvert la porte et fait la danse de Saint-Guy, à poil dans le corridor. Pourquoi ? Je le sais pas. Ça m'a pris comme ça. Pour aucune raison. Je n'avais plus peur de rien ni de personne, aucune honte, aucune gêne, quand d'habitude c'était tout le contraire. Ma sœur Nabila passait par là. On était samedi ou dimanche parce que toute la famille. Si toute la famille. On était dimanche. Elle m'a regardé comme si elle voyait un fantôme. Elle a crié. Un cri étouffé parce qu'elle voulait pas que. J'ai continué à danser. J'étais heureux. Tout nu. Encore tout mouillé. Je pense que c'est ce jour-là que j'ai commencé à être le fantôme de moi-même. C'est comme si je pouvais être quelqu'un d'autre, faire des choses sans le vouloir. Une paupière qui cligne sans arrêt, une jambe qui tient pas en place. Sans qu'on puisse rien faire pour les arrêter. C'était extraordinaire. Je ne sais pas si c'est ce qu'on appelle se dédoubler, mais j'étais encore dans le bain en train de me laver tranquillement et j'étais dans le corridor tout nu en train de faire la danse de Saint-Guy et j'étais ma sœur Nabila apeurée et ma petite sœur Soraya qui riait avec mon père au salon et ma mère qui. Je ne sais pas. Non je n'étais pas mère. J'étais le soleil qui réchauffait toute la maison.

Je ne sais pas comment je suis revenu. Je crois que c'est mon frère Rawi qui sortait de notre chambre juste en face de la salle de bain. Il m'a dit: Voyons. Es-tu devenu fou?! Rentre t'habiller. Il m'a dit ça en français parce qu'on parlait en français entre frères et sœurs. Avec père et mère, on parlait arabe. Donc c'est pas mon père mais mon frère qui m'a dit: Es-tu fou? Parce que en arabe on plaisante pas avec ce mot-là. En français, c'est joli le mot fou. Espèce de fou. Grand fou. Petit fou. Oh! que t'es fou. Fais pas le fou. Il est fou braque. Des mots qui sonnent doux en français. N'empêche qu'on les enferme, qu'on les bourre de médicaments, camisole de force et électrochocs. Coupures de budget: on les jette à la rue en espérant qu'ils aillent se jeter dans le fleuve. On change de trottoir quand on les voit. On a peur d'eux. Un sac de déchets c'est moins puant qu'un malade. Dans l'autobus, les sièges se vident autour d'un fou. Il peut parler tout seul tant qu'il veut. Aidez-moi. Je veux m'en aller chez nous. Tout le monde fait semblant de pas voir, de pas entendre. Pas de frère ni de sœur, ni père ni mère. Pas de maison. Même pas un chien pour lui tenir compagnie. Il a juste sa tête qui lui sert plus à rien, un visage plein de cloques, un corps tout croche qui avance en reculant sur deux chaussures trop grandes et délacées. Pourquoi ils les tuent pas? Plus simple, moins cher, moins puant, tout le monde serait content. Même moi, je change de trottoir quand j'ai pas le cœur de François avec moi. Si mon père ne m'aimait pas à la folie, je serais dans la rue moi aussi. Mon père. Mon père. Ton père est mort. Et toi au lieu de faire ce que dois. Fais ce que dois. Fais ce que dois. Je sais pas. Ton père t'a raconté cent fois le rituel du mort. Grouille. Grouille. Le temps est compté. Les ablutions, n'oublie pas les ablutions. Mains, bouche, intérieur du nez, figure, bras, oreilles, cheveux, pieds, côté droit avant côté gauche.

Mon frère et mes sœurs disent que je suis un égoïste. Plus. Égocentrique. Que je peux pas me mettre à leur place. Que c'est toujours moi qui prends toute la place dans la famille. J'aurais braillé, je me suis retenu. Si toutes les fois que j'avais envie de brailler, je braillais, j'aurais, oh là là ! Que tout tourne autour de moi. Que mes parents n'ont toujours pensé qu'à moi. Faux. Archifaux. Si j'étais mort tout le monde serait heureux. Si c'est ça prendre toute la place. Je suis sûr qu'ils ont prié pour que je meure, que je leur foute la paix. Moi aussi j'ai prié. J'arrête pas de prier. Égocentrique mon cul. Y a personne qui peut se mettre à ma place. Personne. Personne. Pas juste moi qui peux pas me mettre à leur place. Chacun est pris pour vivre une seule vie. Sauf moi. Quand je flye.

Une belle carrière. Gras-dur. Une carrière de victime. Qu'ils disent. Je n'ai pas répondu. Des moments d'inexistence. Les mots bourdonnent, ne m'atteignent pas. Se compactent pour plus tard. Mon père est mort en cette nuit du mois de Safar, en l'an de grâce 1423 de l'Hégire, et j'ai l'esprit presque clair. Même si je suis incapable de faire le moindre geste pratico-pratique. Qui ressemblerait à un geste que n'importe quel homme ferait s'il était à ma place.

Carrière de victime. My arse ! Que celui qui prétend pouvoir tout contrôler dans sa vie me jette la première pierre. Que celui qui a été capable de changer la couleur de ses yeux me piétine. La direction du Soleil ou le décroissement de la Lune. Celui-là pourra me cracher au visage, me réduire en pièces. Celui qui a pu arrêter les massacres. Celui-là, oui. Depuis que je suis tombé en dehors de moi-même. Dans une vie d'enfer où le ciel n'est qu'un mirage, où la terre n'est que tremblement, je sais qu'il n'y a pas que les hommes qui soient injustes. La Vie aussi. Les hommes sont à l'image de la Vie. Injustes. Prétentieux et vaniteux par surcroît. Ils pensent que ce qu'ils ont accompli c'est grâce à eux. Vanité des vanités. Tout vient de la volonté suprême. Même ceux qui s'en sortent. Qui sont heureux. Qui ont le sentiment de faire ce qu'ils ont à faire. Qui bougent, chantent, dansent, travaillent. Même ceux-là sont à l'intérieur de cette volonté suprême et bougent grâce à elle. Hostie de volonté suprême. Chaos suprême. Leur vie ne tient qu'à un fil. À un souffle. Avant la coupure finale, ils peuvent bien penser que leur vie leur appartient. Si ça leur fait plaisir. Si ça leur donne de l'importance. Allah akbar. Allah est le plus grand et je le hais.

J'ai tout fait par moi-même avec la force de mes bras. Mais qui t'a donné la force? Comment se fait-il que toi tu as été capable de te servir de ta force et que l'autre à côté n'a pas été capable? Il était paresseux. Mais comment se fait-il qu'il n'a pas pu dépasser sa paresse? Il n'a pas de courage. Mais comment se fait-il que toi tu as eu du courage et pas lui? Je ne sais pas. Dis-le que tu as été visité par la grâce divine et que l'autre à côté n'a eu aucun fil pour s'accrocher, ou qu'il l'a eue, mais qu'il n'a pas su la reconnaître. Mais pourquoi, toi, tu as su, pourquoi, toi, tu l'as reconnue? et pas lui?

Quand mon frère et mes sœurs se feront enculer ignominieusement, on pourra parler d'égal à égal, on pourra parler de victimes, de carrières, de bourreaux. De Vie et de Mort. Ils n'auraient qu'à ouvrir leur journal, leur télé, leur radio. De notre impuissance. Je ne leur souhaite pas. Ma haine est en paix en ce jour béni de la mort de mon père. Je volte. Je ne fais que volter sur moi-même. Sur un cheval blanc.

Si un jour on arrive à dire que la mort est entre nos mains, on pourra dire que la vie est entre nos mains. Tant que la mort. Toutes les morts, les radicales et les répétitives, les grandes et les moins grandes, nous revireront comme des crêpes, nous écraseront comme nous écrasons l'herbe sous nos pas, tant que cette déesse, la Mort, ne sera pas en notre pouvoir, nous resterons des hommes. Rien que des hommes. Des minus devant l'insondable, l'incompréhensible. Des marionnettes. Même Sharon est une marionnette. Et Bush Bush Bush. S'il avait été mis au monde pour semer l'amour au lieu de la terreur, il sèmerait l'amour au lieu de la terreur. J'entends mon frère Pierre Luc Duranceau me dire : mais tu es complètement à côté de la plaque. Ta théorie te conforte dans ta nullité. Et je ne répondrai rien. Parce qu'il parle avec tant d'assurance que je croirai que j'ai tort et qu'il a raison. Il m'a tant de fois humilié depuis toutes ces années, qu'en sa présence je deviens ce qu'il pense que je suis. Tout s'embrouille dans ma tête et j'ai juste envie de pleurer. Je ne pleure jamais devant lui. Il me méprise trop et je ne l'aime pas assez pour pleurer devant lui. Men don't cry. Il est devenu très occidental, mon frère. Les Arabes pleurent sans gêne. Combien de fois j'ai vu mon père pleurer. Ça ne l'a pas empêché d'être un homme. Un vrai. PLD aussi est un homme. Mais il va craquer, Duranceau, un jour il va craquer en mille morceaux. Pourra plus les recoller, ses maudits morceaux vernis. Tellement vernis qu'on ne voit plus la couleur du bois. Ni cèdre ni chêne.

J'ai planté un chêne au bout de mon champ, chante la voix sublime de grand vent. *Perdrerai-je ma peine Perdrerai-je mon temps? L'amour et la haine ce sont mes enfants Et ce sont mes chaînes Serai capitaine Sur mon bâtiment Perdrerai-je ma peine?* Mon frère Rawi n'a pas planté de cèdre dans ce pays. Perdrerai-je mon temps? Alors qu'il avait toutes les possibilités de le faire. Il n'a planté qu'un faux chêne, un chêne en formica qui n'aura jamais de racines ni de branches ni de feuillage. Perdrerai-je ma peine?

Chez mon frère Rawi, tout est fabriqué avec la volonté de qui est en train de se noyer. Et il se croit maître de son destin. Je lui dirai quand tu pourras arrêter l'ouragan, le faire dévier de ta belle maison de Key West, tu deviendras le dieu que tu prétends être. Les rênes de ta vie entre tes mains. Invincible. Exactement comme moi quand je décolle de la terre et que je deviens une étoile. Sans bride aucune.

Il n'y a de Dieu que Dieu.

J'ai maudit Dieu et Allah et Yahvé et la terre et le ciel et mon père et ma mère et mes frères et mes sœurs. Ma petite sœur Soraya, jamais, elle est morte avant que je devienne enténébré. J'ai vu ce mot-là dans un livre, je l'ai trouvé beau. Quand je l'ai cherché dans le dictionnaire, j'ai trouvé qu'il était fait pour moi. Enténébré et timbré. C'était moi. J'ai rencontré Iblis bien des fois. Le diable en personne. Pas seulement rencontré. Devenu lui. Quand je n'étais plus enténébré ni timbré. Je n'étais plus rien. Quand je revenais à moi, même le mot moi voulait plus rien dire. C'est un petit mot simple. Moi. Si j'avais eu une jambe coupée, j'aurais dit, moi, je suis unijambiste, un bras coupé, je suis manchot. J'aurais dit: j'ai les deux jambes coupées. Pour la vie j'ai les deux jambes coupées. Simple. Moi, je suis infirme. Mais quoi dire quand on a deux jambes pendant six mois et que le reste de l'année on se traîne sans jambes. Pendant les mois sans jambes, sans énergie, sans rêve, comment ne pas vouloir mourir ou espérer que cela revienne comme avant? Avec des jambes et des ailes. Flyer, être grand, fort, avoir des idées plein la tête, savoir tout faire, n'avoir peur de rien, être respecté, aimé, être désiré par le monde entier. Sauf père, mère, frères et sœurs, qui nous évitent, la peur dans les yeux. Vivre enfin. Comment ne pas désirer vivre enfin. Après les mois de limbes, d'enfer, de purgatoire. Enfin le ciel. Rien n'est trop beau quand on a frôlé la mort. My father is dead and my legs can't walk anymore. I won't kill myself. I won't. It would be too easy. I love hard things. I'm used to it. Bayé mètt. I'm so happy. L'autre jour j'ai vu à la télé un père qui essayait de sortir de sa bouche : je t'aime mon fils. Ça avait l'air tellement dur de sortir ces mots-là. Ça a pris l'émission entière pour qu'il y arrive. Combien de fois mon père m'a dit qu'il m'aimait. Tant de fois que j'arrive même pas à les compter. Mon père m'aime. Je le sais. Et puis ? Ça a rien donné. Mon père m'aime. Et puis ? Qu'est-ce que ça change ? Chez les Québécois, en ce moment, faut tout tout nommer, c'est la grande mode. Comme s'il y avait un mot pour tout ce qui est en nous. S'exprimer. Tout dire. Parler de son vécu. Le vécu, c'est à la mode, histoire vraie, mal réalisée, pas grave, c'est annoncé comme une histoire vraie. C'est vrai donc c'est bon. Ils mêlent tout. Réel. Vrai. Réalité. Imaginaire. Comme si l'imaginaire ne pouvait pas être vrai. Tout le monde se garroche. À haute voix. Ils veulent guérir en parlant. Si parler avait pu me guérir, je serais guéri depuis longtemps. Y a tant de choses qui sont au-dessus de nous. Qui nous dépassent. Tant de choses. Qui se comprennent pas. Même si on parle jusqu'à la fin des temps. Je vais aller regarder la télévision pour me reposer. Pour voir d'autres bibites qui parlent. Je veux plus penser. À quoi ça sert ?

Mon père, Omar Khaled Abou Lkhouloud, le fanfaron qui écrivait des poèmes et qui les déclamait en public a viré capot, comme ils disent. En arabe c'est un jeu d'enfant, écrire des poèmes. La poésie tout le monde en fait. Même ceux qui savent pas écrire. Tous les Africains savent danser, tous les Arabes savent composer des poèmes. Mais comme chez les Africains, y en a des bons des moins bons des nuls et des meilleurs. Mon père c'était un meilleur. J'aurais eu un père poète s'il avait continué à écrire. Mais un jour, la belle vie suffisait plus. Il lui fallait plus. Toujours plus. C'était devenu sa devise. Mon grand-père avant de mourir avait acheté des immeubles à Beyrouth. Gras-dur. Mon père récoltait de l'argent assis sur son cul de poète. Pendant que des hommes et des femmes se tuent à travailler, toi, tu empoches. Mais du jour au lendemain, c'était pas assez. Une vie confortable, c'était pas assez. Une belle maison à Beyrouth, une autre belle à Souk-el-Gharb où on passait nos étés, c'était pas assez. Embarque la femme et les enfants, on s'en va. Sans réfléchir, sans rien, on s'en va. Sans penser aux enfants qui sont heureux là où ils sont, sans penser à la femme qui a peut-être pas envie de partir, on s'en va. C'est vrai, la guerre. Oui, la guerre. Mais nous, on aimait ça, la guerre. Comme dans les films. On était dans un film. Rawi et moi on s'amusait ferme. Mon père a prétexté la guerre pour partir, mais c'est pas vrai. Il voulait partir depuis longtemps. Le Liban, c'était trop petit pour lui. Poète et aventurier comme Rimbaud, mon père. Et nous sommes partis de notre pays sans même avoir eu le temps de réaliser qu'on partait. En deux temps trois mouvements comme ils disent, il avait ouvert une fabrique de sous-vêtements pour femmes sur la rue de Gaspé. Les petites culottes Paradise se vendaient presque autant que les bonbons Life Savers de toutes les couleurs. Il a agrandi la fabrique. Des soutiens-gorge, des maillots. Puis une autre manufacture. L'écrivailleur de poésie était devenu le poète du paradis de ces dames. Sans ton Paradise point de salut. L'argent rentrait en veux-tu en voilà. Ma mère faisait pousser des plantes vertes, mon père des billets verts.

Au début on se tenait les coudes serrés, proches proches les uns des autres. Une vraie famille de manchots. Des oiseaux palmipèdes vivant en Antarctique, collés les uns sur les autres pour se protéger du froid. Même si on avait de l'argent pour acheter une plus grande maison, on voulait rester entassés. On aimait ça se coller. Jusqu'au jour où notre maison a brûlé avec notre petite sœur dedans. À bien y penser, c'est là que notre vie a pris le bord.

Avant, quand je croyais encore que la famille c'est pour la vie jusqu'à la mort, j'ai rencontré un homme qui n'avait pas vu ses frères ni ses parents depuis quinze ans. Ils habitaient la Gaspésie. Cet homme-là n'était plus jamais retourné en Gaspésie et aucun de sa famille n'est jamais venu le voir. Il leur avait téléphoné en arrivant à Montréal. Puis plus rien. Ça m'avait assommé. Je n'en croyais pas mes oreilles. Quinze ans! Sans voir sa famille. Et il ne s'ennuyait même pas. Je me disais, c'est une question de coutume. Les gens d'ici n'ont pas les mêmes besoins que nous. Seul. Tout seul. Seul au monde. Ils le sentent pas.

Un frère, une sœur, c'est un autre soi-même. Pour nous. C'est une muraille de béton qui nous protège. Une muraille ça peut aussi devenir un ghetto comme en Israël. Ceux qui sont nés ici peuvent plus facilement se faire des amis, ils n'ont pas besoin de s'accrocher à leur famille. Quand on est né ailleurs, on se ramasse avec ceux qui sont nés ailleurs. Ou bien avec des exilés dans leur propre pays aussi mal pris que les vrais. Mes amis sont italiens, chiliens, turcs, arméniens et quelques copeaux détachés de leur souche. Mes plus-qu'amis : mes frères, mes sœurs. Étaient.

Ma vie est si décousue. Le fil de ma vie a été coupé si souvent que. Pas moyen de garder des amis. Mais un frère, une sœur, c'est pour la vie jusqu'à la mort. C'est ce que je croyais.

Pas moyen de me trouver une femme comme du monde. Quand je flye, j'en trouve. Des femmes décoratives. Tu leur parles de Dostoïevski elles pensent que c'est un acteur, tu veux parler de Rousseau, elles parlent de l'humoriste. Elles ressemblent à Barbie et font l'amour comme des planches à repasser. Aucune sensualité. Aucune tendresse. Une poupée gonflable à côté, c'est le paradis. Mon père est mort et moi je pense aux poupées gonflables. Qu'est-ce que j'ai dans la tête ? Allah le tout-puissant. Allah le tout-puissant. Je n'ai jamais su quoi faire de ma vie. Ma vie est passée sans que je sache quoi faire. Quoi faire avec la mort. Encore moins. Si moi j'étais mort. Facile. Moi mort. On n'en parle plus. La douceur de la mort. Doux doux loin loin. La lumière blanche, le tunnel. J'ai tout vu ça plusieurs fois. Pourquoi ils m'ont ramené ? Ils m'ont ramené, mais pas changé. C'est toujours moi qui suis dans ma tête, c'est toujours moi qui dois me lever le matin. C'est toujours moi. Eux, ils m'ont ramené. Bravo la science. Mais après. Y a plus personne. Pour t'aider. Pour te prendre la main. Pour te dire que ça va passer. Que la vie finit par passer. C'est vrai. Ils m'ont laissé la télévision. La radio. Et Gogol. Et Dostoïevski. Et Shakespeare. Et le temps infini à attendre la mort. Mon père est mort. Plus que jamais je me sens orphelin. I'm an orphan. Harfang des neiges. Plus que jamais je me sens libre. Un oiseau sans ailes. Libre d'être ce que je suis. D'exister à mon rythme. Pour moi-même. Plaire à personne. Être aussi nul que je veux. Que je suis. Sans penser que quelqu'un souffre pour moi. Voudrait que je sois quelqu'un d'autre. Libre enfin. Child of God. Ibn Allah. Venez à moi enfants des neiges, simples d'esprit et de cœur. Votre vie n'a pas remué les entrailles de la terre. Elle n'a servi à rien. Les cimetières sont remplis de vies qui ont servi à rien. Qui se sont crues irremplaçables. Des millions d'enfants meurent chaque jour de faim et de soif. Aucun livre raconte leur vie. Aucun livre racontera la mienne. Libre enfin. Enfin libre de vivre. The king is dead. God save the king.

Disjoncter. Disjoncter. Disjoncter. Ou mourir mourir mourir. C'est pareil. Je serai plus là. À me demander quoi faire. Comment faire. Quoi. Laisse-moi une petite place dans ton lit. Papa. Non mon fils non. Tu as promis à François de ne plus essayer de. François d'Assise est bon. Il comprendra. Mes chiens se sont débrouillés avant moi, ils se débrouilleront après. Père, tu es le seul qui pouvait me sauver. Plus personne pour me guider. Pour me rappeler la vie. Glisser une fois pour toutes. Abandonner la vie. Comme elle m'a abandonné. Jamais demandé mon avis. Elle a fait de moi ce qu'elle a voulu. Elle tient pas à moi, je tiens pas à elle. Kif-kif. Je ne m'ennuierai de rien. Quelques sourires d'enfants. Les sourires qu'ils me font sans savoir qui je suis. Peut-être qu'ils le savent mieux que moi qui je suis. Regarde maman, il est gentil le monsieur. Et leurs mères les tirent vers elles, mais j'ai eu le temps d'attraper leur sourire. L'enfant marche tiré par sa mère, la tête tournée vers moi. Il me sourit encore. J'attrape. J'attrape ce que je peux. Je m'ennuierai de mes chiens. Même de mes chiens. Je me suis occupé de ces chiens pour toi, ya bayé. Pour que tu te dises. Pour que tu sois fier de moi. Mon fils peut faire quelque chose de sa vie. Tu avais un air complice en me regardant flatter les chiens. Ça te donnait envie de me raconter des histoires. Des aventures de ta jeunesse quand tu étais roi et maître de la vie. Toi, au moins, tu n'avais rien à cacher. Tu pouvais raconter ta vie au grand jour. Je n'ai jamais rien raconté sans rougir. Ma vie est criblée de honte.

Trouée. Comme les immeubles de Beyrouth pendant la guerre.

Père, je voulais te dire que je suis le plus courageux des hommes de la terre. Je te l'ai jamais dit. Ni à aucun être vivant. Même pas à mes chiens. Eux le savent sans que j'aie besoin de. Marcher dans la rue, lever la tête, prononcer un mot a été chaque fois un acte d'héroïsme. Je suis un héros méconnu. Inconnu. Comme des milliers d'autres qui ont perdu leur vie, leur jeunesse, leur espoir. Sans arriver à mourir. Sans mourir tout à fait. Je suis un héros. J'ai accompli ma vie de merde. Et je suis encore vivant. Je me lève encore en regardant la couleur du ciel. Et je dis qu'il est beau le ciel. Je regarde encore un arbre, une fleur, un enfant et je dis que c'est beau. Et je le sens. Je le sens. Je sens encore la beauté du monde. Je ne sais pas comment je fais. Quel gâchis, la beauté du monde. Quelques secondes qui nous maintiennent en vie, qui nous font continuer.

Père, père, tu n'as jamais abandonné. Un jour, tout s'arrangera pour toi, mon fils. Que tu répétais. Que tu répétais. Père, même si je savais que je serais jamais comme les autres, ça me faisait du bien de t'entendre, j'y croyais pendant que tu le disais. Merci d'avoir espéré. J'embrasse tes mains, père, et je les porte à mon front. Tu as espéré pour deux. Pour nous deux. Toute la famille avait baissé les bras, depuis plusieurs années, même ta femme, ma mère. Tous ont démissionné. Ils ont fui. Toi, tu as gardé l'espoir. Après chaque guerre, après chaque mort, après chaque défaite, tu m'as accueilli comme on accueille un soldat sans jambes en disant tes jambes repousseront. Tu repartiras à la guerre. La vie est un combat et tu gagneras. Je n'ai pas gagné. J'aurais tellement aimé guérir pour toi. Juste pour voir tes yeux se remplir de joie et pour t'entendre dire : tu vois que j'avais raison, ya ibné, la vie n'est pas si cruelle.

Les miracles existent, j'ai toujours cru aux miracles. Ya ibné… ya ibné… ya ibné, Radwan. J'entendrai plus jamais ces mots. Mère est morte. Père est mort. Je suis le fils de personne. Je suis le père de personne. Si mes chiens étaient des humains, je leur dirais ya ibné, my son, mon fils…

Arrête de bouger ! Arrête de bouger ! disaient mes fraternels. Viens t'asseoir, viens, dit mon père. Lui sait ce qu'il faut me dire. Je peux rester des heures à gigoter. Il paraît. D'une jambe à l'autre, debout, à me balancer, déplacement de mon poids, d'un côté, de l'autre. Sur une patte, sur l'autre patte, ma petite vache a mal aux pattes, tirons-la par la queue, elle deviendra mieux dans un jour ou deux. Je m'en aperçois pas. Si je me voyais j'aurais le tournis. J'ai souvent le vertige, mais jamais pour ça. Je ne me vois pas. C'est être conscient qui est fatigant. Moi non. Les autres me le disent : arrête de bouger ! Mon père ne disait rien. Il savait bien que c'était plus fort que moi. J'appuyais mon coude sur mon genou, je pressais fort. Je suis content depuis que. Ils n'habitent plus ici. Mon père, lui, c'était quand je dormais trop longtemps. Quand mon père n'est pas content, le ciel devient noir. Il avait le temps d'aller travailler, de revenir, j'étais encore couché. Il se fâchait. Il me jetait tous mes médicaments. Moi je le laissais faire. Parce que anyway j'étais pas capable de bouger. Mais je savais ce qui allait arriver. Je savais qu'il allait le regretter, mais, c'était lui mon père, pas moi le sien. Ma vie a toujours été inséparable de la vie de mon père. Dans le bonheur et dans le malheur, dans les hauts comme dans les bas. Un vrai melting-pot. Dans le vrai sens. Mêlé, mêlé. My father and I we were living in a blender. Un broyeur de vie. Il a broyé ma vie, j'ai broyé la sienne.

Son. My son. What did you do with your life, son? Nothing, dad. Nothing. I was expecting a beautiful life, dad. But something stronger than me drew me down. Threw me in hell. I was rooted up, dad. Forgive me, dad. I never made you happy. Forgive me. Mi spiace. Pardone mi. La twakhizni. Je te le répéterai dans toutes les langues vivantes et dans toutes les langues mortes. Pardonne-moi. Père de mes deux fesses. Je te hais de m'avoir trop aimé. I didn't deserve your love. Why did you love me so? Why? Why? Je ne connaîtrai jamais l'amour d'un père pour son fils. Je resterai à jamais le fils. Je ne saurai jamais pourquoi tu m'as aimé. Tu m'as attaché à toi comme on attache sa ceinture autour de la taille, comme le lacet de ton soulier. Il aurait fallu que tu me haïsses, que tu me jettes à la rue. Je n'ai jamais été digne de ton amour. Mais peut-être que je me trompe. Je me suis trompé. Ce que j'ai reçu comme de l'amour n'était que de la pitié. Non. Non. Tu m'admirais. Tu admirais mon intelligence. J'étais le plus intelligent et le plus brillant de tes fils et de tes filles. Tu as toujours eu un faible pour l'intelligence. Dans les moments d'éclaircie que je pouvais avoir, tu me faisais parler, tu me posais des questions, tu buvais mes paroles. Toutes les fois que nous cherchions ensemble le sens de la vie, tu étais ébahi par mes réflexions, par mes analyses de la situation mondiale. La politique, l'économie, l'histoire. Toutes les fois que tu m'as dit: écris, fils, écris! Même les affaires de famille. Combien de décisions tu as prises après m'en avoir parlé? Je t'ai aidé à voir clair. Dans mes moments d'éclaircie, j'avais un radar dans la tête et un rayon X à la place des yeux. Sans aucun effort, j'étais au-dessus et en dedans du monde. C'était si rare, trop rare. Quel gâchis. Et tu te disais, je ne peux pas croire que ce garçon si brillant peut devenir du jour au lendemain le contraire de ce qu'il est. Je suis devenu le contraire si souvent. Et tu continuais à aimer et à espérer ce que j'aurais été si. Je me demande comment tu as pu garder intacte l'image que tu avais de moi. Tu as aimé qu'une parcelle de moi, père. Comme le Québec je suis une société distincte. Le monstre, le fou qui partait en baloune, tu ne l'as pas aimé. La larve bavant dans ses draps, tu ne l'as pas aimée. Mais c'est ce que je devenais, père. Le monstre se changeait en larve. Le contraire de ce que tu aimes. Si souvent, si longtemps, le contraire. Je suis mille morceaux épars dans un corps chimique. Ou en manque de chimique. Ou en trop de chimique. Avec quelques courts passages d'éclaircie. En dix-neuf ans, depuis la première catastrophe, les éclaircies se comptent sur les doigts d'une main. Deux mains. Pas plus. Peut-être moins. Comment se construire une vie avec dix éclaircies. À moins de compter le reste, le chimique, le trop, le pas assez. Est-ce que je suis là, moi, dans ce trop ou pas assez? Est-ce que ce n'est pas quelqu'un d'autre qui prend ma place? Quelqu'un qui prend mon corps et mon esprit. Qui me possède et me dépossède. Qui suis-je, moi, en dehors du chimique? Mon père est mort et je suis dans un moment d'éclaircie. Jusqu'à quand? Combien de temps avant le chavirement, avant que la folie me happe et me catapulte? J'entends un violoncelle à la radio. Si triste. Je pleurerais jusqu'à la fin des temps avec ce violoncelle qui pleure avec moi. Jusqu'au moment de renaître dans une autre peau, dans une autre tête, dans un autre destin. Fils, mon fils, tu n'as que vingt-quatre heures. Oui. Père. Oui. Tu es un homme maintenant. Oui. Oui.

Elle avait quatorze ans quand elle est morte. Ma sœur jumelle de cœur et d'âme. Mon adorée. Il me reste une toute petite photo d'elle. Tout le reste a brûlé. Sa queue de cheval volait dans les airs. Son sourire. L'amour de ma vie. Nous dansions sur cette photo. One o'clock. Two o'clock, three o'clock. Rock. J'ai été coupé. Y a que ma main qui tient sa main. Et une partie de mon bras. Son visage de trois quarts. Et son sourire. Quand je bascule. Quand je. Quand je touche aux étoiles, je danse avec elle. Sur terre, je n'ai plus que cette photo. Tout le monde dit que j'ai une mémoire phénoménale. Pas vrai. Cette photo est toute ma mémoire. Je déteste le genre humain. Juste ce qu'il faut de mémoire pour nous gâcher la vie. J'aimerais mieux être. Tout oublier. Tellement plus. On se ressemblait. Elle avait six ans quand nous sommes partis de notre pays. Moi douze. Je me sentais grand. Le grand frère. Le protecteur. Je regarde souvent dans le miroir. Sa petite face de trois quarts à côté de ma face laide. Elle me reconnaîtra pas. Je lui crierai : je suis Radwan ton grand frère. Elle me regardera alors avec son sourire doux et ses sourcils se soulèveront. Qu'est-ce qui t'es arrivé, mon frère, tu avais un si beau visage ? Le destin a frappé, ma sœur, j'avais, je n'ai plus, j'étais, je ne suis plus. Que la vie est méchante, mon frère. You can say that again, sis, you can say that again ! Aujourd'hui, une fille de ton âge s'est faite kamikaze. Le monde est méchant, sœurette. Elle a embrassé sa mère, lui a dit que l'école était rouverte. Sa mère ne l'a pas crue. La petite a juré que oui.

Elle a embrassé ses frères et sœurs. Pourquoi embrasses-tu tes frères et sœurs, tu n'as pas l'habitude. Elle a répondu : je suis joyeuse aujourd'hui, la paix est peut-être revenue pour de bon, l'école est rouverte. Tu sais bien maman combien j'aime l'école. La mère savait que sa fille aimait l'école, mais de là à embrasser tout le monde avant de partir. Je ne veux pas que tu sortes d'ici, ma fille, je ne veux pas. Ici, on est protégés par le toit de la maison. Tu es drôle, maman, un toit n'a jamais empêché personne de mourir, ils bombardent là où ils veulent. Aujourd'hui, ils ne bombarderont pas. Demain peut-être. Et elle a ouvert la porte. Sa mère a crié : Non. Et Soraya est partie en courant, sans se retourner. Je l'ai appelée Soraya parce que j'aime ton nom. J'ai entendu la nouvelle à la télé et c'est comme si tu mourrais à nouveau. Je t'ai pleurée avec la même douleur. Qui embrase tout le corps, qui nous empêche de respirer. J'ai revécu ta mort comme si le temps n'avait pas eu le temps de construire des couches de glaise entre ton sourire et mes yeux.

Sharon. S'il n'y avait que toi de charognard, on n'en serait pas là. 1982. Sabra et Chatila, ce n'était pas assez. Ça ne t'a pas suffi. Du sang. Encore du sang. Et le peuple israélien t'a élu. Je hais le genre humain. J'haïs. J'aguis, comme ils disent. Même les animaux les plus féroces ont une éthique. Sharon frappe ! Frappe les enfants et les femmes. Et les hommes qui ne savent plus à quel islamiste se vouer pour que justice soit. Continue. Continue à broyer la paix avec ton cousin Bush. Un peu plus, toujours plus, personne ne dit rien. États, gouvernements, européens, canadiens, russes, chinois, japonais. Ne dites rien. Surtout ne dites rien. Le Dieu du Bien vous a interdit de parler. Le Dieu de l'univers Bush Walter George, le fils de son père Bush le Grand, soutenu par tous les sionistes américains, vous a bouclé avec des dollars plein la gueule. Mais vos yeux voient comme je vois. Ma rage est si grande. J'oublie de respirer. J'oublie que mon père ne respire plus. Une jeune fille du nom de Soraya s'est brûlée vive. Chaque éclat de son corps et de son âme se glissera à l'intérieur de vos têtes. Dans chacune de vos têtes. Se collera à vos paupières. Vous tendrez votre bras vers la table de nuit, vous prendrez vos somnifères. Videz toutes les pharmacies ! La paix ne se fera pas sur l'injustice. Mon père est mort, je mourrai à mon tour, mais le peuple palestinien ne mourra pas. Ni la justice ni le droit de vivre. Somo tutti palestini. Somo tutti palestini. Il y aura toujours une jeune fille ou un jeune homme pour crier vengeance. Avec ses tripes, avec son sang, avec sa vie. Représailles. Incursion. Opération. Riposte. Murailles. Inventez tous les mots que vous voudrez. Désinformez toute la planète. Génocide, ça vous dit quelque chose ? Sharon charogne et tous les charognards, terroristes en complet-veston de la planète, Bush, Blair et les autres, terrorisme étatique, pétrole en Asie centrale, ça vous dit quelque chose ? Les Palestiniens et les Israéliens, oui des Israéliens aussi, meurent pour rien. Aucune fête, aucun mariage, aucune bar-mitsvah, aucun café sur une terrasse, sans avoir à repousser la peur. Et pourquoi ? POURQUOI ? Dis-le-moi, toi, Soraya la kamikaze, toi, Soraya ma sœur qui peux maintenant voir le monde tel qu'il est. Faites-moi comprendre. Le peuple élu a-t-il été élu pour gouverner l'univers, pour le manger tout rond, pour répondre par obus à des corps remplis de désespoir, par char d'assaut à des pierres lancées par des enfants ? Le peuple élu a-t-il oublié l'holocauste ? L'holocauste lui donne-t-il tous les droits ? Œil pour œil, dent pour dent. La victime est-elle obligée de devenir bourreau ? Vous voulez faire aux Palestiniens ce qu'on vous a fait ? La chaîne meurtrière ne s'arrêtera donc jamais ? Comme le 11 septembre de mon ami Bush Walter George. Il avait tous les pouvoirs. Il a maintenant toutes les bénédictions. Le 11 septembre. Votre 11 septembre merdique. Comme si l'histoire de l'humanité avait commencé là, comme s'il n'y avait jamais eu de violence auparavant. Ni d'injustices. Ni de pauvreté. Ni d'humiliation. Ni de guerre. La terreur du plus fort n'a pas la même valeur ni le même nom que la terreur du plus faible. Deux poids deux mesures. Celui qui détient le pouvoir, celui qui voudrait en avoir au moins juste un peu.

Vingt-quatre millions de pauvres, de sans-abri dans le pays le plus riche du monde, ce n'est pas une image forte, dix mille enfants qui meurent chaque jour de faim, ce n'est pas une image forte, un demi-million de Rwandais qui meurent, ce n'est pas une image forte, les vingt-sept points chauds dans le monde, ce n'est pas une image forte, mais deux avions qui frappent la plus grosse tour de l'univers, qui frappent l'arrogance et la vanité, c'est une image forte. Le monde entier a vu. Tous ceux qui ont une télévision. Ont vu. En même temps. Et le monde capote. Et le monde occidental a peur. Enfin ! Et les prières, et les messes et les fleurs et les spectacles-bénéfice. Même moi, j'ai prié. La vie d'un Américain vaut mille fois plus que la vie d'un Rwandais. Sa mort aussi. Il profite des prières du monde, quand il meurt. Qui a prié pour les Kurdes, les Libanais, les Tchétchènes, les Afghans, les Rwandais ? Moi aussi, j'ai prié. Surtout pour ce qui allait venir. Tout comme la montée du fascisme, la montée du monothéisme américain. Même ceux qui voient ce qui est en train d'arriver ne peuvent pas ouvrir la bouche. Du temps de Hitler non plus. Plus rien ne pourra les arrêter. Le monde entier les appuie. Même les pays arabes. Ils trahissent leurs frères comme mon frère m'a trahi. Les vendeurs d'armes du monde entier sont contents. L'armée, le FBI, la CIA jubilent. Le cinéma américain, la télé américaine, McDonald's vont splasher le monde entier splish ! splash !

de leurs produits de consommation. Avec la bénédiction de tous. God save America. Dieu avec sa grande barbe et Allah et Yahvé peuvent aller se faire hara-kiri. Le seul vrai Dieu de l'univers peut maintenant faire tout ce qu'il veut. Ma petite sœur Soraya s'est flambé le cœur pour rien. Je veux mourir moi aussi. Mais je suis trop lâche. I'm a coward. I'm a looser. I'm a frog. You're a frog. Kiss me. Sister hold me. Soraya, my love, bring me with you. I'm so lonely. I'm so lonely. My father is dead. Dead. Dead. And I'm dying.

Je suis né sur une terre chaude, dans notre maison de Souk-el-Gharb à la montagne. La mer, je pouvais la voir de notre balcon arrière. Vue à nourrir le cœur. La beauté aveugle et éclaire. Même enfant. On n'a pas les mots, enfant. Ni plus tard. Je suis né sous le signe du poignard. Une arme courte, une des pires de l'horoscope arabe. Il paraît que l'enfance détermine nos vies. Pas sûr du tout. L'autre jour j'ai entendu une phrase à la radio. On ne peut pas imprimer sur une feuille qui tremble. Les gens ne parlaient pas de moi. La feuille qui tremble, c'est moi. Rien ne s'imprime jamais. Marée haute. Marée basse. Tout s'efface et disparaît. J'ai vécu les deux tiers de ma vie ici. Vivre. La vie. Life. To live. El hayat. La vita è bella. Je répète ce mot dans toutes les langues que je connais. Et ça ne sonne aucune cloche. Je ne sais pas ce que c'est. J'ai été si souvent arraché à ce que je croyais être ma vie. Ma. Vie. Aucun sens. Perdue. My life. Hayati. Ridiculous. So ridiculous. Compter sur les doigts de la main. Les moments. La vie d'un insecte est une vie. Du point de vue de la Vie. Du point de vue de celui qui la vit. Cazzo. Merda padre. C'est une autre paire de manches, comme ils disent. Les bouddhistes n'écrasent pas la moindre insecte. Un ou une insecte? Toute vie, même la plus misérable, est une vie. Je suis né sur les lieux de naissance des premières civilisations connues. Là où le soleil se lève. Le soleil est fatigué de se lever. Les corps empilés les uns sur les autres sont rendus jusqu'à lui, ils touchent les pieds du soleil, ils l'implorent. Arrête de te lever pour rien. Civilisation, mon cul. Un coin sur la terre où le sang n'a pas coulé pour rien ? J'étais un enfant quand je suis parti. Et je mourrai là où le soleil se couche. Un homme parmi tant d'autres. Inconnu. Si au moins j'étais mort à la guerre. J'aurais eu. J'aurais été. Rien. La vie d'un fou est-elle une vie ? Un fou est-il quand même un homme ? Homme insecte ? Subhumain ? Qui regarde la télévision, qui lit les journaux ? Les subhumains enterraient-ils leur père ? Le laissaient-ils pourrir ? Le mangeaient-ils ?

Déterrer le fils. Enterrer le père. Devenir un homme à la face du monde. Devenir un pianiste. Un pianiste extraordinaire. Chanter la beauté du monde. Être celui qui chante. Celui qui chante pendant que les autres pleurent. Miracle. Miracle. À genoux. Remerciez le ciel pour tant de splendeur retrouvée. Tous les postes de télé. Le World Trade Center brûle. Le monde entier communie à la même musique. Nous sommes tous des frères et je suis le centre du monde. Le pianiste joue et chante. Sa voix enveloppe l'univers. Chaque note de piano est un hymne à la vie.

Sur le toit du World Trade Center, ma sœur Soraya et tous les morts brûlés pendant le siècle qui vient de se terminer se métamorphosent en voix chantant la résurrection de leur corps et la reconstruction de leur vie. Mon piano est amplifié. On l'entend jusqu'en Afrique. Jusqu'en Tchétchénie. Le fils va devenir un homme. Le roi est mort. Vive le roi.

Tous mes efforts m'ont jamais servi à rien. Je suis né fils. Et je mourrai fils fou. Possédé et dépossédé.

Naître femme. J'aurais voulu. Être une femme. Rien à prouver. Être. Être ce qu'elles sont. J'aurais aimé porter un enfant dans mon ventre. Il m'aurait guéri de tout, il me semble. Et si j'avais porté un enfant malade, je l'aurais soigné, aimé. Il aurait été ma raison de vivre. Est-ce que j'ai été la raison de vivre de ma mère ? Ou seulement un poids à porter ? J'ai détesté les féministes. Elles voulaient devenir des hommes. Complètement folles. Vouloir devenir un homme quand on a la chance de naître femme. Et personne ne les a enfermées. On m'a enfermé pour moins que ça. Un jour je me suis habillé en femme. Me suis maquillé. Perruque. Talons hauts. Tout. Ç'a pas pris de temps que. Envoye à l'hosto !

Il a le visage presque lisse. Je n'arrive pas à enlever mes yeux, à sortir, fermer la porte. Bayé mèt. Father is dead. Mon father. Bayé. Des mots. Des mots. Il faut des gestes. Des gestes. Des actions. Petites actions. L'une après l'autre. C'est mon visage que je vois. Je suis étendu à sa place. Le déshabiller. Le laver. Dans ses draps qu'il aimait blanc coton d'Égypte de la meilleure qualité. Je suis mort si souvent. Je connais la sensation du rien. Je suis étendu, les yeux fermés, mon cœur ne bat plus. Personne n'est debout à côté de moi. Les prières. Personne ne rôde autour de mon lit. Aucun être humain ne me pleure. Parce que je suis le dernier sur terre. Toute ma famille est disséminée. La guerre mange tout. On ne peut pas échapper à toutes les guerres. Aucun enfant ne me touchera la main. Dira tu as l'air calme, papa. Dira tu as le visage lisse et paisible tout d'un coup. Je suis le dernier de ma lignée. La souffrance arrache les humains de leur chemin. Chutes au pluriel. La folie gangrène. Bras tendus au-dessus de la tête. À l'arraché. Effort violent et brutal. J'ai été. Arraché aux enfants que j'aurais dû avoir. J'aurais été le meilleur père qui soit. C'est ma seule certitude. Ma seule certitude.

J'aurais aimé ramener mon père au pays de son enfance. Tant beaucoup. Pendant qu'il était encore vivant. Au pays de sa jeunesse. Jeunesse folle comme dans les chansons. C'est moi qui lui aurais offert le voyage et le séjour là-bas. Je suis son fils aîné après tout! Dans les plus beaux hôtels. Avec l'argent que j'aurais gagné à la sueur de mon front, comme ils disent. Jamais fait une crisse de cenne de ma vie. Mon père m'aurait présenté à ses amis: voici mon fils. Il est le plus grand écrivain du Québec et du Canada et c'est sûr qu'il obtiendra le prix Nobel. Mon fils est encore un peu jeune pour ce prix prestigieux, mais cela viendra. C'est lui qui m'a offert le voyage. Ce n'est pas que je ne pouvais le faire moi-même. Dieu merci, l'argent n'est pas un problème, mais mon fils est devenu un homme. Ton fils est mort à la guerre? Toutes mes condoléances. Tes deux fils? Et tu me demandes pourquoi je ne suis pas revenu au pays pendant les quinze ans de guerre? Et vous me demandez tous pourquoi j'ai émigré? Ce pays est une catastrophe, une guerre après l'autre, ça n'arrête jamais. Si jamais l'un de mes enfants mourait, je mourrais… Chaque fois que je suis mort, père, tu es resté vivant… Mais je t'attendais, mon fils, j'attendais que tu reviennes à toi, à la vie. Toutes les sortes de mort peuvent se changer en miracles de la vie tant qu'il reste un filet de souffle… Il n'y a que la Mort qui soit définitive.

J'ai trop de haine. De vieilles couches et des nouvelles. Loup et agneau. Tourterelle et vautour. Dans le même corps. Dans la même tête. J'ai trop d'amour aussi. La haine se retourne contre moi. Et contre. Tout. Comprimée. Compactée. Ma haine attend le bon moment pour conspuer. Mon amour, je ne sais pas à qui le donner. Mes chiens. Mes chiens à aimer. Mentally challenged person. Les Américains ont une belle façon de nous appeler. Un jour j'ai dit à mon frère, Pierre Luc Duranceau: écris ma vie, peut-être que je finirai par y comprendre quelque chose en la lisant. J'étais dans une période calme et lui, pas encore tombé dans la mégalomanie. Pas encore tête enflée. Ma tête enfle et désenfle. Sa tête s'est enflée d'un coup et n'est plus jamais revenue à sa taille normale. On a beaucoup de difficulté avec ce mot-là dans la famille. Normal. Mon père hors norme. Ma mère dans un sens aussi. Mes sœurs Salma et Nabila, oui, mariées deux enfants, plus normales que ça, tu meurs, Belgique et Calgary, en plus. Soraya si elle avait vécu peut-être oui. Non. Pas Soraya. C'est pas pour nous. La voie du milieu des bouddhistes, c'est loin de notre histoire familiale.

Mon frère était encore parlable, comme ils disent. Et moi aussi, ce jour-là. We were chatting over a cup of coffee comme deux frères qui ont vécu ensemble la même enfance. La même jeunesse. Les montagnes russes on a glissé dedans dessus ensemble. La guerre des cailloux et des tuques aussi. Il me défendait. Il était le plus fort même si plus jeune. Qu'est-ce que j'aurais fait sans lui, les jours de bataille? Arabes contre non-Arabes. Surtout le fameux jour où le directeur voulait mettre la faute sur nous, les musulmans, et qu'il voulait nous suspendre pour une semaine ou plus. Mon frère Rawi Omar Abou Lkhouloud, devenu pour les besoins de sa carrière Pierre Luc Duranceau, a dit: nous ne sortirons pas d'ici. Moi je tremblais de peur. J'ai toujours tremblé. Il aurait fallu que je change mon nom moi aussi pour Tremblay, j'aurais peut-être conjuré le sort. À jamais. Au nom du Père du Fils du Saint-Esprit. Trois Dieux d'un seul coup. Voilà tu es baptisé, tu ne trembleras plus. Et mon frère, prince parmi les princes, a dit: nous respectons votre religion et nous vous demandons de respecter la nôtre. Nous sommes musulmans et pacifiques, mais si quelqu'un nous pile sur les pieds, nous nous jetons tout droit à sa gorge. Nous refusons l'injustice. Si vous maintenez la suspension, vous ne nous reverrez plus. Nous irons à l'école anglaise et vous perdrez beaucoup. Beaucoup plus que vous pensez. Le directeur l'a regardé. Mon frère était beau comme un dieu de l'Olympe, avec une assurance à vous couper le souffle. Le directeur a eu le souffle coupé. Il a bredouillé: c'est très bien, nous en reparlerons plus tard. Jamais eu de plus tard. Mon frère et moi nous pétions des scores. Son école, on l'a mise sur la mappe. Ça me rappelle l'histoire du sprinter qu'on appelait un grand Canadien quand il était en train de gagner la médaille d'or des Jeux olympiques et aussitôt qu'on l'a pris en flagrant délit de consommation de stéroïdes, il était redevenu un Jamaïcain. Mon frère a continué à péter des scores. Moi, j'ai pété les plombs. J'aurais quand même aimé que mon frère garde notre nom, qu'il réussisse avec notre nom. Son succès aurait rejailli sur moi. Quand je dis que je suis le frère de Pierre Luc Duranceau, personne ne me croit. À force, moi aussi je pense que j'ai inventé tout ça.

J'aimerais ça qu'il fasse son coming out. Maintenant que les immigrants sont à la mode, ils appellent ça de l'écriture migrante, c'est devenu un genre, moi je fais du policier, moi j'écris intimiste, moi de la science-fiction, moi de l'écriture migrante, mes œuvres sont étudiées dans les universités et traduites dans plusieurs langues. Je les ai entendus à la radio, à pisser de rire. Il pourrait en profiter, Rawi. Tellement profiteur, mon frère. Le timing, il l'a dans la peau. Il est toujours là où il faut, quand il le faut. Il écrit toujours ce que les gens ont envie de lire. Juste ce qu'il faut de drame, juste ce qu'il faut d'intrigues pour nous tenir en haleine, juste ce qu'il faut de sexe, juste ce qu'il faut d'Histoire pour nous donner l'impression qu'on apprend des choses importantes, et bien sûr des histoires d'amour pour enrober tout ça. Les lectrices surtout sont sous le charme. Le voir à la télé parler de ses personnages, même l'entendre à la radio, et tout de suite on a envie de lire tout ce qu'il a écrit et de savoir dans quel restaurant il mange. Sa voix, son humour, sa passion, sa façon de nous bercer et de nous emmener avec lui tout droit chez le libraire. Mon frère me fait penser à Bush le jour où il a fait son discours devant le Congrès pour les convaincre d'aller voir Ben Laden en Afghanistan. Un peu plus et j'allais me lever et l'applaudir. Mon frère vend son produit et sa personne comme mon père vendait les petites culottes Paradise. Toutes les Québécoises portaient la petite culotte Paradise que mon père avait conçue pour elles, toutes les Québécoises ont lu un roman conçu pour elles par mon cher frère. Est-ce que tu as essayé le dernier modèle Paradise? est-ce que tu as lu le dernier Duranceau? Il est sorti? Il vient tout juste. Tu l'as pas vu à la télé? Non j'étais en vacances, oh excuse-moi, je te laisse, je cours me l'acheter.

S'il faisait son coming out, j'en profiterais. Pour une fois moi aussi je pourrais profiter de quelque chose. Je serais le frère du plus grand écrivain du Québec. Peut-être pas du plus grand, mais du plus populaire.

Jamais je ne l'ai dit à personne. J'ai trop honte. Quand on est malade physiquement, on le dit. Je me sens pas très bien ces jours-ci, je pense que je suis malade. Ça se dit. Crise de foie. Mal de dents. Crise de cœur. Reins bloqués. Ça se dit. Quand on est comme moi, il faut dire: je suis un malade. Pour s'accorder avec ce que les gens pensent. Je suis un malade, comme on dirait je suis un écrivain, je suis un musicien, je suis un Noir. La maladie mentale donne la couleur de la personne dans son entier. Pas tout à fait parce qu'un Noir ne peut pas le cacher. Moi, oui. Ça m'a pris tellement de temps. De le dire. Même dans ma tête. Je suis un malade. Mental. J'ai honte. Un pédophile aussi doit avoir honte. Je suis un pédophile, ça se dit pas. Je suis un violeur et un assassin, ça se dit pas. À l'hôpital, j'arrivais à le dire à d'autres malades. Même qu'à l'hôpital, c'était presque une fierté. Sauf pour ceux qui étaient complètement partis, qui se prenaient pour le Christ ou Guevara. Pour les autres qui étaient plus ou moins là, tête sur les épaules ou un peu à côté, ça dépendait de l'heure des médicaments, là, à l'hôpital, on était quelque chose comme un grand peuple, dit René dit Lévesque, et je n'ai jamais été aussi fier d'être québécois. Notre communauté de malades de plus en plus hétérogène à mesure que le temps passait et que les immigrants débarquaient. Société des nations. Unies par toutes les dépossessions et par les odeurs d'hôpitaux. Beaucoup savaient parler ni français ni anglais et avaient oublié leur nom propre et leur propre langue.

J'aurais pu en apprendre plusieurs si. Dans notre communauté de malades, nous nous abreuvions à la fierté. Fiers d'être québécois, pourquoi pas nous, fiers d'être malades ? C'était beau à voir. Un concours de la fierté. Un concours pour savoir qui était le plus malade, qui prenait le plus de médicaments, qui avait subi le plus d'électrochocs, qui était mort le plus souvent, qui était resté le plus longtemps à l'hôpital, qui était rentré le plus souvent, qui avait le plus de visites, qui avait le plus de cigarettes. C'était le bon temps. Quand ils nous gardaient longtemps à l'hôpital. C'était le bon temps. On devenait une petite famille. On s'amusait. Quand quelqu'un recevait son congé, on avait de la peine. On l'accompagnait à la porte et on lui disait à l'année prochaine. On ne se mentait jamais entre nous. Avec nos familles, pour ceux qui en avaient, c'était différent. On mentait à nos familles, on se mentait à nous-mêmes, une fois sortis, mais avec notre communauté de malades, jamais. On se voyait tels qu'on était : des malades. Manteau que l'on essaye de déchirer en sortant de l'hosto. Manteau qui faisait partie de notre peau. Manteau de notre identité. Le temps est le plus grand fabricant de manteaux. Chaque fois que l'on entre, une couche est tissée, chaque fois que l'on sort, le manteau est plus lourd et notre corps plus gringalet. Et un jour on se réveille en comptant. J'ai passé plus de temps en dedans qu'en dehors. Parce qu'un mois en dedans équivaut à un an passé en dehors. Même si être en dedans était plus facile à vivre. Pendant un temps, on oublie l'attente des autres, la peine des autres, la peur des autres. On est à l'abri. Même si on veut avoir des visites, même si on est malheureux quand personne vient nous voir, on est encore plus malheureux quand père, mère, frère ou sœur viennent. On fait tout pour gâcher les visites. Même si on s'en veut de l'avoir gâchée.

Certains prisonniers font tout pour revenir en prison. Je les comprends. J'aurais tout fait pour rester à l'hôpital, pour ne jamais sortir. J'aurais tout fait aussi pour ne pas rentrer. L'horreur c'était ni dedans ni dehors, l'horreur c'était le passage entre l'intérieur et l'extérieur, entre l'extérieur et l'intérieur. La porte de ma chambre d'hôpital, la porte de l'aile dans laquelle on m'avait enfermé, la porte de l'ascenseur, le long couloir de l'hôpital, l'urgence, la porte exit, et encore une autre porte. Et je suis dehors. Entre dans l'auto. Sors de l'auto. Ouvre la porte de chez toi. Ouvre la porte de ta chambre. Et reste là jusqu'à temps que tu puisses lever la tête. Ta tête lourde de honte. Après quelque temps c'est le chemin inverse que tu fais. Avec deux policiers accrochés à tes bras. Invincibles tes bras. C'est ce que tu croyais. Honte. Honte. Et encore honte. Un condamné à mort quitte sa cellule pour marcher jusqu'à la chaise électrique. J'ai vécu soixante condamnations à mort. Pour être resté encore vivant aujourd'hui, je suis sûrement un surhomme. Un surhomme tremblant de peur. Peur de son ombre, comme disait mon père. Fils, le temps passe. M'as-tu déjà oublié ? Ôte-moi la peur, père. Extirpe la terreur de mon ventre. Arrache cette boule qui me paralyse. Je ferai tout ce que je dois.

Psychiatrisés. Ostracisés. On n'est pas du monde. C'est vrai qu'on n'est pas du monde. Même nous, nous-mêmes les psychiatrisés, ostracisés, nous les damnés de la terre, on ne s'endure même pas. On s'haït, on se déteste, on se coupe les poignets, on se frappe la tête, on se mutile et vive l'amour vive la compagnie. On voudrait être quelqu'un d'autre. Demander aux autres de nous aimer tels qu'on est. C'est de la pure folie. Mon père était fou. Fou braque pour m'aimer comme il m'aime m'aimait m'aimera m'aimera plus. Fou. Des fois je me dis. S'il m'avait pas aimé, s'il m'avait pas donné de chances. Aucune chance. Fou, envoye, dehors. Qu'est-ce qui me serait arrivé? Pas pire que les autres. Je serais fou fini. Pouilleux. Mort. Dans rue. Je serais passé de l'autre bord. Sans retour. Je serais bien. Ceux qui auront le courage de lire mon journal quand je serai mort, mort pour vrai, ceux-là vont bien voir que c'est pas la folie qui est difficile à prendre. C'est l'histoire du cheval qui s'appelait Hercule. Hercule avance. Hercule avance. Le pauvre cheval savait pas sur quel pied danser. Fou. Pas fou. À moitié fou. Et ça recommence. Sans fin. De quoi me friser le poil des jambes avec un fer au charbon. De quoi nous. Demandez à ceux qui ont été torturés, s'ils sont encore vivants, ils vous le diront mieux que moi peut-être parce que eux sont pas des fous, ils sont des torturés. Certains deviennent fous. On dit les pauvres. On les plaint. On s'apitoie. Avec raison. Y a de quoi. La torture, c'est pire que la guerre, même si l'une découle de l'autre. Souvent.

Pour un fou, on ne dit jamais pauvre lui. Act of God, c'est ce qu'on dit. Que Dieu s'arrange avec ça. Torture is an act of human being. Un plein de merde qui se délecte de son petit pouvoir. Sa raison arrête de fonctionner. Elle a fermé boutique. Je sais de quoi je parle. On devient dieu tout-puissant. Fallait pas me contrarier. C'est tout. La peur. Toute la peur qui me tord. Qui m'a tordu le ventre depuis l'enfance. Depuis toujours. Métamorphose. Who am I ? Who's the fuck am I ? Peur devient puissance. It's an act of God. God is me. Le tortionnaire. Je. Sais. La sensation. La peur dans les yeux de quelqu'un. Voir la peur. Voir quelqu'un chier dans ses culottes. Savoir qu'à cette seconde il pourrait renier sa mère et son père et Jésus le fruit de nos entrailles est béni. Sentir sa peur. Qui. Je peux en profiter. I'm the king. Bien que. J'ai jamais torturé personne. Si je l'ai fait, je ne m'en souviens pas. Est-ce que je pourrais continuer à respirer si je m'en souvenais ? Les électrochocs c'est pas pour rien. J'ai brûlé les cheveux de ma mère. Oublier. Brûlé son manteau et son cœur aussi. Oublier. Oublier. Ses cheveux devenus gris d'un coup. Ses beaux cheveux. Oublier. J'ai haché le corps de mon père et son cœur aussi. Je voudrais tout oublier. L'oubli ultime. L'oubli parfait. La mort. Mon père en a fini avec la mémoire. Vive mon père qui a tout oublié. Oublié. Il a déjà oublié que c'est moi qui. Pardon, papa. Pardon.

Mon père n'aura ni prières ni chants, mon père n'aura pas de cercueil en bois verni. Personne pour marcher derrière lui, pour l'accompagner jusqu'en terre glacée, pour lancer une poignée de terre sur son linceul. Mon père sera mangé par les rats parce que je ne sais pas quoi faire. Parce que c'est tout ce qu'il mérite. Parce que je suis un incapable. Un nul. Parce que tous les gestes qu'on apprend, qu'on fait en société, pour parler aux vivants, pour enterrer les morts, je ne sais pas les faire. Je n'ai jamais su les faire. Je n'ai pas appris. Je suis un enfant de cinq ans. Je n'ai pas l'âge de raison, j'ai l'âge de la peur. Une mer de peur. Bombardé. Paralysé. Traqué. Tétanisé. Peur titanique. Je respire la peur. Je respire à peine. L'histoire de ma vie se résume en un seul mot de quatre lettres. PÈRE PEUR OMAR AMOUR. Quand je basculerai de l'autre côté. Quand je ne sentirai plus la peur. Quand je deviendrai dragon invulnérable. Quand la folie me sauvera de moi-même, le corps d'Omar aura l'odeur de Bush père fils et faucons. À genoux, les bras en croix comme les chrétiens, j'implore la folie, à genoux, comme un musulman que je suis à peine, j'implore la folie, front et corps sur le tapis du salon, j'implore, j'implore la folie, je l'appelle, je la veux, je la désire, de toutes mes forces. Et elle ne vient pas, la garce. Elle vient quand elle veut, la garce. Personne n'enterrera mon père, personne me déterrera. On me jettera tête première dans la fosse et j'aurai froid pour toujours. Sans enfants. Lui, mille fois pire. Il n'a eu que des enfants traîtres, vendus, inutiles, vauriens. Et un enfant fou qui a peur.

Le livre de Pierre Luc Duranceau alias Rawi Omar Abou Lkhouloud

> J'écris et je crie pour qu'il fasse homme en moi.
>
> SONY LABOU TANSI

Ce fut un baiser comme je n'en ai jamais reçu d'une femme, un baiser sauvage et désespéré comme un cri mortel. Le tremblement convulsif passa en moi. Je frémis, en proie à une double sensation, à la fois étrange et terrible : mon âme s'abandonnait à lui, et pourtant j'étais épouvanté jusqu'au tréfonds de moi-même [...]. Je ne m'appartenais plus...

STEFAN ZWEIG

Sache-le, Nanda, c'est un vrai réconfort que tu aies pu me dire le nom de celle que nous avons épiée, Sita, fille de Sumantra ; ainsi, j'aurai eu et connu d'elle un peu plus que son image, car le nom est un morceau de l'être et de l'âme.

THOMAS MANN

Je ne sais pas pourquoi j'ai répondu. Ma main est partie toute seule et a soulevé le récepteur. Je n'ai même pas regardé l'afficheur. J'ai entendu une respiration, une hésitation, puis un bégaiement, des e… e… e… et des ba, ba, ba, un blanc complet, encore une respiration, puis, le souffle s'est coupé net, et on a raccroché.

J'ai raccroché moi aussi. Je me suis assis au bout de ma chaise longue, tout mouillé, une serviette autour des reins, et mon cœur s'est mis à battre un peu plus vite. Je n'ai pas voulu reconnaître le battement très distinctif de mon cœur. Mais lui, mon cœur merdique, a reconnu le balbutiement qu'il venait d'entendre.

J'ai fait comme si de rien n'était, comme si rien ne s'était passé, et je suis rentré dans mon bureau pour reprendre, là où je l'avais laissée, la scène finale de la troisième partie de mon livre, là où le père de mon héroïne doit mourir d'un instant à l'autre. Je sais qu'il va mourir, mais je n'arrive pas à trouver comment mon héroïne vivra la mort de son père. Elle est assise dans la chambre sombre, il n'y a personne autour d'elle, elle tient la main de son père et elle sait qu'il va mourir, elle ne veut pas qu'il meure, en même temps qu'elle désire sa mort. Je cherche la phrase qu'elle dira, le geste qu'elle fera, le sentiment qu'elle éprouvera… J'avais un peu de mal à boucler la scène, c'est pour cette raison que je me suis levé, que je me suis jeté nu dans ma piscine, que j'ai nagé cinq minutes pour me rafraîchir les idées. C'est toujours ce que je fais quand je bloque, quand je cherche et que je ne trouve pas tout de suite. L'eau. C'est mon élément. C'est ce qui me connecte à moi-même et qui me relance tout de suite dans la vie. La vie est action, écrire est mon action de prédilection. C'est la seule part de ma vie où je me sens complètement vivant et heureux d'être vivant.

Maudit téléphone. Pourquoi ai-je répondu ? Pourquoi ? Il n'aurait pas laissé de message, il n'aime pas parler à des machines qu'il dit, et c'est tant mieux, je n'aurais pas entendu sa respiration, je serais tranquille, en train d'écrire, de me baigner. La paix. Maudit téléphone. Le plus bel instrument de procrastination jamais inventé. Instrument de torture en ce qui me concerne. J'ai assez donné. Dix-neuf ans. C'est assez. Je ne veux plus. Je ne veux plus. Rejouer le jeu. Rejouer dans sa pièce. Le chien de Pavlov, c'est moi. Un coup de téléphone, un bégaiement, un souffle coupé, une inspiration, expiration, et je suis happé. Pieds mains cœur ligotés, et hop ! dans son monde. Jusqu'à mes genoux que je sens faiblir. Je suis un homme fort et en santé, merde !

Là, j'aurais fumé, fumé ! pourquoi j'ai arrêté de fumer ?, pour ne pas lui ressembler, mais là, j'aurais fumé un paquet en entier, n'importe quoi, du hasch, du pot, j'aurais bu du whisky au goulot, n'importe quoi ! Je ne suis même pas supposé répondre quand je travaille. Je ne réponds jamais. En fin d'après-midi ou le soir, mais toujours après avoir regardé l'afficheur. Mon agente et ses adjointes s'occupent de tout, me font livrer des repas somptueux, font mon marché à distance, s'occupent de trouver le jardinier, l'homme de ménage, prennent en charge le quotidien et le professionnel, je n'ai rien d'autre à faire qu'écrire. Pourquoi ai-je répondu ? Mais pourquoi je me décompose ?

Tais-toi. Tais-toi donc ! Je ne veux plus t'entendre. Je ne veux plus sentir tes battements me défoncer la poitrine. Je te hais. Je te hais. La seule partie de moi que je n'ai pas pu dompter, que je n'ai pas encore matée.

Mater le roi avec le fou. Le roi dégringole. Le roi a le cœur en bouillie. C'est l'échec de ma vie. J'ai gagné partout. Sur tous les plans. Sauf ce nœud que je suis incapable de démêler. Là, dans ce magma, il est le plus fort. Il n'a rien à perdre, lui, il a tout perdu. Oh! non! Oh! non! Pas encore! Un balbutiement à l'autre bout du fil et c'est reparti. Mon cœur cavalcade, je ne peux plus le retenir. Une distance de six heures d'avion, ce n'est pas assez. L'esprit, l'âme, le cœur s'en foutent des distances! Ça se passe ailleurs, là où je n'ai aucun contrôle. Je ne sais pas quel chemin prendre pour me détacher, pour, au moins, ne pas être bouleversé chaque fois. C'est toujours pareil. Je me vois faire. Je me vois en train d'attendre le deuxième coup de téléphone. Parce qu'il y a toujours un deuxième coup de téléphone. Et entre les deux, il y a mon indomptable esprit qui s'envole vers lui, cœur de guimauve, imbécile, idiot que je suis. Après des années et des années, tu te laisses prendre comme au premier jour, ou presque. Encore et encore. Comme si l'habitude n'arrivait pas à faire son œuvre, comme si le temps ne faisait que changer le mal de place.

J'avais juré pourtant, j'avais juré…

Alexandra prit la main de son père entre ses deux mains. Paume lisse contre paume lisse, paume lisse contre peau plissée qui glissait au moindre mouvement. Elle ferma les yeux en essayant de sentir la chaleur, le peu de chaleur. Elle ferma les yeux et donna l'ordre à sa mémoire: souviens-toi de ce moment, de ce moment précis. Il y a longtemps, très longtemps, elle s'en souvient pourtant sans avoir eu à donner d'ordre à sa mémoire, c'était elle, ses mains à elle, que les deux mains de son père réchauffaient. Il lui frottait ses petites mains gelées, les portait à sa bouche, soufflait un bon coup et recommençait à les frotter, à les embrasser. Elle eut l'idée de faire la même chose: souffler de toutes ses forces pour réchauffer la main de son père et…

Mon père est mort, je le sens. C'est ça. Mon père est mort. Et mon frère essaie de me prévenir. Il a été incapable de le faire, et mon père n'est pas là pour le calmer – il était le seul à pouvoir le faire. Plus personne pour lui dire d'essayer à nouveau, qu'il est capable, que le téléphone n'a jamais mangé personne, que Rawi est son frère, pas un étranger… Sinon il m'aurait rappelé dans les cinq minutes qui suivent. Je le sais. Et d'abord pourquoi m'aurait-il téléphoné le matin ? Dans ses périodes hésitantes, c'est en fin d'après-midi ou le soir qu'il appelle, raccroche et rappelle. Il se passe quelque chose. C'est sûr. Mon père n'est plus. C'est sûr. Sinon, Radwan serait en train de me parler. Il se serait d'abord excusé d'avoir raccroché, m'aurait demandé ce que je fais, n'aurait pas entendu ma réponse, m'aurait dit qu'il s'ennuyait de moi, qu'il avait hâte à l'été, qu'il déteste Key West parce que ça m'éloigne de lui, il m'aurait dit que son livre avance, juste quelques pages à peaufiner, il m'aurait parlé de ses médicaments qui l'assomment, que je suis donc chanceux de pas avoir à en prendre, il m'aurait récité quelques passages de Hamlet qu'il vient de relire pour la énième fois, raconté un épisode de notre enfance au Liban ou à Montréal, m'aurait dit qu'il aimerait être moi, et m'aurait demandé si moi j'aurais aimé être lui… Les mêmes choses, mille fois répétées, que j'écoute d'une oreille distraite, sauf les histoires de notre enfance ou de notre adolescence que j'avais oubliées. Je suis toujours timoré, mal à l'aise, ambivalent, sauf quand il devient drôle et qu'il me fait rire. C'est par l'humour que je retrouve Radwan, mon frère d'avant, avec qui je riais aux larmes.

Ça fait plusieurs jours de suite que je pense à mon père. Je ne sais pas si c'est la mort du père de mon héroïne qui influe sur moi ou ma propre inquiétude. La dernière fois que je l'ai vu, j'ai senti quelque chose d'étrange. Comme si je savais que je le voyais pour la dernière fois. L'huile de sa lampe, comme aurait dit ma mère, semblait tirer à sa fin… Il pouvait m'arriver de penser à mon père, ça venait par vagues et ça repartait. Je passais des semaines sans penser à lui. Ces jours-ci, c'est comme une obsession. Je l'ai vu juste avant de quitter Montréal, il y a trois mois. Je l'ai appelé une fois ou deux. Sa voix est de plus en plus voilée. Il a perdu sa présence d'esprit, son sarcasme, sa verve. Ça fait longtemps que je n'arrive plus à avoir des discussions avec lui. Parfois il met quelques secondes avant de me reconnaître. Il répète Rawi comme s'il cherchait à donner un visage à ce nom. Mon frère dit qu'il le fait exprès parce qu'il m'en veut. Je n'en crois rien. C'est plutôt mon frère qui m'en veut. Mon père, lui, s'en va tranquillement, ou peut-être qu'il fait exprès de s'en aller… Depuis que maman est morte, il n'est plus le même. Il n'est pas vieux pourtant ; Henri, le père d'Alexandra, est beaucoup plus vieux que mon père. Ma mère non plus n'était pas vieille. L'huile de sa lampe s'est consumée trop vite, trop mal, avec des vents mauvais qui venaient de toutes parts. Cancer généralisé. Par chance, j'étais à Montréal… Je lui ai tenu la main, mes deux mains enveloppant sa main, comme Alexandra…

Je n'arrive pas à travailler. Mon frère est en crise… Je voudrais pouvoir m'en foutre. Je veux. Je le veux. Mais mon cœur merdique continue à s'énerver, à rouspéter. *Roi, père, souverain Danemark ! Oh, réponds-moi ! Anges et ministres de la grâce, défendez-nous ! Que tu sois esprit de salut ou gobelin damné, Que tu apportes la brise céleste ou les souffles de l'enfer… Ne me laisse pas étouffer d'ignorance, mais dis Pourquoi tes os…* C'est sûrement ce qu'il est en train de réciter en tournant sur lui-même. Comme moi en ce moment. Je vrille. Pourquoi ? Comment ? Quoi faire ? Rien faire. Oublier. Qu'il se débrouille. Je ne suis pas Dieu. Si j'étais mort, il serait bien obligé de se débrouiller. Il y a un Dieu pour chaque être vivant, disait ma mère. Il y a aussi un emmerdeur pour chaque être humain ! Celui qui l'oblige à…

Je suis redescendu dans l'eau et en suis ressorti : et je n'arrive pas à oublier le bégaiement de mon frère en état de panique. Il est en crise, dans le bas de la pente. Dans le haut, il est bien loin du bégaiement, oh ! mon Dieu, non ! il ne bégaye plus, il commande, il crie, il manipule. Il devient arrogant, grossier, agressif, mégalomane. Insupportable.

En un sens, j'aime mieux le voir exalté, délirant comme c'est pas permis, en rage, révolté, provocateur, plutôt que défait et bègue. Dans sa période belliqueuse et mégalo, je peux le détester à mon aise et souhaiter sa disparition. Quand il s'émiette, qu'il devient l'ombre de lui-même, c'est moi qui ai envie de disparaître…

J'ai téléphoné. Je savais que j'allais rester dans cet état pitoyable jusqu'au moment de faire quelque chose. Ça n'a servi à rien. J'ai rappelé. Plusieurs fois. Ça ne répond pas ou bien ça sonne occupé. Il essaie peut-être de rejoindre Salma et Nabila, il a peut-être décroché le récepteur ou débranché le téléphone. C'est son habitude. Au secours, aidez-moi, à peine audible, et puis, c'est le poignard arabe, une incision précise et adroite, il coupe le contact. Il fait juste ce qu'il faut pour mettre notre moteur en marche… et puis, débrouillez-vous ! C'est comme s'il voulait et ne voulait pas, comme s'il pouvait et ne pouvait pas. En même temps, avec la même intensité. Deux forces contraires qui s'annulent. Comme si j'écrivais et effaçais tout ce que j'écris. Dans le même temps. Dans le bas de son cycle – trimestriel, semestriel ou annuel, la fréquence de ses crises n'est pas régulière –, c'est sa façon de faire. Mon père le raisonnait, ou bien, me téléphonait lui-même pour me rassurer, pour me dire que tout allait bien…

S'il a appelé à une heure inhabituelle, c'est qu'il a besoin d'aide. Mon frère a besoin d'aide et, moi, je ne peux pas dire non. Je résiste, c'est sûr que je résiste, que j'essaie de résister. Mais ça n'a jamais rien donné, je finis toujours par flancher.

Quoi faire ? Je ne connais pas le numéro de téléphone des voisins ni leur nom. Je suis à six heures d'avion. Y aller sans être sûr de rien… Je vais téléphoner à Salma et à Nabila.

Et je m'étais pourtant juré de couper tout lien avec mon père et mon frère. Je me déteste. Je les déteste. Juste à penser à eux et je suis tout à l'envers, conscient de la morbidité du monde, de sa fragilité, de son inutilité. Juste à penser à eux, et je vois l'envers de tout ce que je veux réaliser et je me demande pourquoi je fais tant d'efforts. Juste à penser à lui, et le désespoir réapparaît, comme s'il ne m'avait jamais quitté, il s'installe en territoire connu, aussi à l'aise qu'un chaton tétant sa mère. Et je ne sais plus qui est le chaton, qui est la mère, je ne sais plus si c'est moi qui appelle le désespoir ou si c'est le désespoir qui m'appelle. Je suis pris, tout comme mon frère, dans un véhicule sans fenêtres qui carbure à l'obsession, et je vrille…

Je me suis construit une vie loin d'eux. Et une pensée, un rien, suffirait pour tout abandonner. Je déteste ce père ! Son père. Ce père qui a eu six enfants et qui n'a eu d'yeux que pour lui, d'intérêt que pour lui, d'amour que pour lui, ce fils maudit, qui nous a volé nos vies, notre joie de vivre, notre quiétude. Notre famille s'est changée en ruche ayant comme reine ce fils damné qui nous a tous condamnés. Les réussites tout comme les difficultés et les problèmes des autres passaient inaperçus. Ce que nous faisions n'avait aucune importance. Nos pensées, nos discussions, nos intérêts tournaient autour de ce frère qu'il fallait à tout prix sauver. Une famille entière agglutinée dans le malheur. Ce malheur n'avait pas seulement frappé un membre de la famille, mais tous et chacun, comme s'il n'y avait aucun espace entre nous, aucune respiration possible qui n'avait pas trait à ce malheur. L'immigration que nous avons vécue tous ensemble a été le ferment de nos liens familiaux, mais aucun ferment n'a été plus fort que cette mission : sauver Radwan. Pour chacun de nous, le sauver, lui, équivalait à sauver la famille et par ricochet se sauver soi-même.

Se sauver tous ensemble ou s'engloutir tous.

Penser d'abord à soi, être heureux pendant que les autres membres de la famille souffrent était impensable et considéré comme une trahison. Dans notre mythologie familiale, un individu à part entière, la notion même d'individu n'existait presque pas. Notre éducation, notre culture étaient encore enracinées dans les traditions tribales, et ce n'était pas parce que nous vivions à l'occidentale depuis longtemps que cela faisait de nous des Occidentaux.

Dans les moments de crise, pendant ses séjours à l'hôpital ou quand il était en fuite, errant dans les rues, ou même quand il gisait immobile à plat ventre dans son lit, nous devenions des moulins à paroles. Parler, parler, parler, redire toujours les mêmes choses. Parce que se taire, garder le silence, nous était insupportable. Chaque crise nous prenait au dépourvu et nous renvoyait à notre impuissance que nous contournions en parlant. Nous pratiquions le faux-bourdon à pleine capacité. Le son de nos voix, les mêmes mots répétés calmaient notre angoisse. Tout en l'exacerbant. Je le sais maintenant.

Mon jeune frère Hafez était le seul à ne pas participer activement à nos conciliabules. Les premiers temps, on le voyait rôder autour de nous. Très vite, il a compris que tout cela ne servait à rien. Il est parti le premier de la maison, sans donner d'adresse. Hafez est le seul à avoir fait une coupure radicale. Une vraie. Pas comme Salma, Nabila et moi qui coupons sans vraiment couper…

Quand notre père était présent, les discussions changeaient légèrement. Sans nous consulter, nous nous adaptions à sa façon de voir. Les mots «maladie» et «malade» étaient remplacés par d'autres: le sort, le coup du destin, l'épreuve, le malheur, l'œuvre du diable qu'on appelle Iblis. On disait aussi: *ce* qui est advenu à notre frère, *ce* qui l'a frappé...

Les heures innombrables que nous avons passées à commenter ses moindres gestes, ses moindres progrès, ses moindres allées et venues... Notre mal-être, notre cœur qui s'agite, notre temps perdu, les cigarettes fumées à pleins poumons, et notre inquiétude quand il disparaissait pendant plusieurs jours: que va-t-il lui arriver? a-t-il encore de l'argent? va-t-il se faire arrêter par la police? comment le retrouver? où le retrouver? Quand nous n'étions pas en train de parler de lui, nous étions en train de courir les papiers des médecins, de téléphoner à la police ou de le chercher à travers la ville. Et nous revenions tout raconter: comment il avait refusé de nous accompagner, comment il était habillé, ce qu'il avait fait et dit, ce que nous avions fait et dit. C'était sans fin. Comme si nos propres vies n'avaient plus aucune importance. Parfois l'un ou l'autre d'entre nous disait: «Et si l'on changeait de sujet?» Nous arrivions à tenir quelques minutes, mais très vite nous revenions à notre sujet principal, à notre mission, à notre obsession. Tous ensemble, avec la ferveur qui nous habite, nous trouverons une solution. Nous trouverons. Tous ensemble, nous trouverons *la* solution. Nous percerons *le* mystère. Nous parviendrons à faire advenir *le* miracle. Je ne peux pas tourner le dos et m'en aller, laisser mes sœurs, ma mère et mon père se dépêtrer tout seuls. Et puis, étudier – et plus tard écrire –, je n'avais pas la tête à ça! Ma tête était complètement obnubilée par cette solution à trouver. Non, ça ne pouvait pas durer comme ça toute la vie, non, ça ne pouvait pas ! Et nous continuions à discuter en buvant du café. Ma mère faisait décongeler quelques tartelettes et pâtisseries qu'elle avait préparées dans des moments plus calmes. Nous mangions sans appétit, un peu pour nous divertir, un peu pour nous donner l'impression que la vie devait continuer malgré tout. Mais inévitablement l'un ou l'autre disait que ça serait extraordinaire si Radwan était là, avec nous, pour manger toutes ces bonnes choses. Et nous repartions dans les pourquoi, les comment, les quoi faire. Comme si quelqu'un en haut, en bas ou quelque part en ce monde allait se réveiller, s'émouvoir, nous entendre et nous donner la réponse. Parfois nous avions de grands rires nerveux qui nous détendaient malgré tout, et nous riions jusqu'à en pleurer.

Quand nous ne pouvions nous réunir tous autour de la table familiale pour des raisons d'examens, de travail urgent, d'enfant malade, et cetera, nous restions en liaison téléphonique. Le téléphone arabe qui est un jeu de société, nous le pratiquions comme un sport extrême. L'apparition des téléphones portables nous a facilité la tâche, mais a augmenté la fréquence de nos appels. Rester en lien avec les autres membres de la famille était primordial pour chacun de nous. C'était notre survie.

L'espoir d'en sortir vainqueurs nous a habités longtemps. Trop longtemps. Sale espoir, quand il s'agit d'une maladie incurable. Mais qui d'entre nous se risquerait à prononcer le mot « incurable » ? Qui allait oser dire tout haut ce que nous commencions tous à penser dans le creux de nous-mêmes ? « Notre frère est malade pour la vie et personne n'est coupable ni responsable. » Dans ce peloton de guerre qu'était notre famille formée à se serrer les coudes, où l'adversaire de l'un devenait forcément l'adversaire de tous, personne n'a osé. Chacun est resté avec son secret.

Cela a pris des années de hauts et de bas, d'hôpitaux et de médecins traitants, de pleurs et de cris et de terreur, de souffrance et de culpabilité pour que quelqu'un se lève et dise : « Il faut accepter. Nous devons accepter. C'est une maladie. Une maladie incurable. » Cette voix qui venait du fond de nos cœurs estropiés fut celle de notre sœur aînée. « Il faut accepter. Pour qu'il puisse s'accepter lui-même et vivre avec sa maladie, il faut que nous l'acceptions d'abord. Notre frère est malade, il restera malade jusqu'à la fin de ses jours. Beaucoup de gens ont survécu ou même vécu avec leur handicap et leur différence en acceptant leur maladie. Mais il faut d'abord que nous l'acceptions tel qu'il est. »

Ces mots, que nous voulions et ne voulions pas entendre, étaient lâchés.

Je me souviens très bien du visage de notre père ce jour-là. Salma l'aurait giflé, lui aurait craché au visage, que ça n'aurait pas été pire insulte. Il a dit : « Jamais. » Il a dit « jamais » sans même élever la voix dans les trois langues qu'il connaissait. Digne, fier, invincible, il nous a tourné le dos, s'est dirigé vers le salon, sans doute pour s'asseoir dans son fauteuil face à la fenêtre. Nous sommes restés silencieux et timorés. Longtemps. Contrairement à notre habitude, personne n'a relancé la conversation. Le téléphone a sonné. Salma est allée répondre. Elle est revenue le visage complètement défait. Nous n'avons pas eu besoin de lui demander ce qui était arrivé et qu'est-ce qu'il lui avait dit. Nous connaissions tous la gradation de sa maladie et nous savions tous à quelle phase il était rendu. Les mots « accepter » et « incurable » bourdonnaient encore dans nos têtes et descendaient lentement vers les parois de nos cœurs. Je me souviens que, ce jour-là, je me suis demandé s'il était possible d'accepter, d'accepter vraiment. Je me suis demandé si la peine, la monstrueuse peine qui m'avait habité pendant tant d'années et qui me rattrapait chaque fois, si cette peine disparaîtrait à jamais si j'arrivais à accepter. Se pouvait-il, me suis-je demandé, que sa maladie devienne pour moi banale et inoffensive, qu'elle lui appartienne totalement, tout comme ses cheveux noirs et bouclés lui appartiennent ? Je ne sais pas pourquoi j'ai pensé à ses cheveux ce jour-là, ses beaux cheveux bouclés et noirs que je lui enviais quand j'étais jeune adolescent…

Dix-neuf ans après la première traversée de l'enfer de mon frère Radwan et de toute la famille l'accompagnant, j'en suis presque au même point et je n'ai pas encore de réponse.

L'éloignement, oui bien sûr. Repos, répit, oublier pour un temps. Mais le nid est déjà creusé et les oisillons se réveillent aux moindres signes connus. Le mal physique que je ressens revient, chaque fois, identique. Ce tremblement de cœur, cet acide particulier à l'estomac, je ne saurais les décrire, leur donner un sens. Même si j'ai l'habitude grâce à mon métier de tracer et retracer le pourquoi et le comment des comportements humains, je suis incapable de mettre des mots sur cet embrasement soudain et sur mon inaptitude à y mettre un terme. Incapable de le comprendre, de lui trouver un sens. Parfois je me dis qu'il faudrait mourir et renaître – symboliquement ou réellement – pour que disparaisse ce vieux signal de détresse. Y arriverai-je un jour ? Arriverai-je un jour à entendre les balbutiements de mon frère – même pas le voir en personne –, juste entendre ses balbutiements sans être envahi par un torrent de peine ?

Pendant des années, mon père n'a presque plus adressé la parole à Salma, et même qu'il la punissait à travers ses enfants. Il les gâtait moins, ou plus du tout, et ses rares gestes d'affection envers eux avaient l'air faux. Le voir agir ainsi avec les enfants de Salma, lui qui d'habitude adorait les enfants, nous a paru cruel. Ma sœur fut blessée, moins pour ce qu'il lui faisait subir à elle, que pour sa froideur et sa dureté avec ses petits. Elle a eu vite fait de s'éloigner en acceptant un poste à Calgary et en en dénichant un autre pour son mari. Peu de temps après, ce fut le tour de Nabila de quitter Montréal.

Je suis sûr que notre père n'a pas encore pardonné à Salma, et ne lui pardonnera jamais. Pour lui, seule la mort est irréversible. Tout le reste est du domaine des vivants, donc, du possible.

L'intransigeance de notre père était si grande, sa blessure narcissique, si profonde : son fils vénéré avait été frappé de plein fouet, jamais il n'aurait pu accepter cet affront du destin.

Son premier enfant était une fille, le deuxième, une fille morte presque à la naissance, le troisième, encore une fille, et le quatrième, le fils tant attendu, c'était lui, Radwan. Physiquement, il était le portrait craché de son procréateur. Narcisse se mirait, heureux. Je suis arrivé moins d'un an après. « Tête à tête », comme on dit en arabe des enfants qui naissent à la suite l'un de l'autre, sans avortement ou fausse couche, ni mort-né entre eux. Ces enfants, comme le veut la croyance populaire, sont comme chien et chat, ils s'aiment et se détestent, se chamaillent et se réconcilient sans arrêt. Comme tous les enfants d'une même famille peut-être, mais avec quelque chose en plus. Croyance populaire ou pas, ce « tête à tête » a été l'histoire de notre vie, à Radwan et à moi. Nous étions inséparables et souvent en conflit, nous nous aimions à la folie même si parfois nous nous haïssions. Mais jamais nous n'aurions pu prononcer ce mot devant nos parents. Haïr son frère était non pas seulement prohibé dans notre culture familiale, mais cette idée même n'existait pas. Haïr son frère était du même ordre que faire l'amour avec sa sœur ou sa fille, c'était impensable, inconcevable, donc, inexistant.

Je suis né trop tôt, pendant que mon géniteur était encore en pleine adoration devant son Bouddha, son petit Radwan, plus intelligent que tout le monde, qui a souri, marché, parlé avant tout le monde, qui a appris à compter, à lire, à écrire, plus vite et mieux que tous les enfants de la terre, cela va de soi.

C'est sûr que la réalité est beaucoup plus complexe et qu'elle est peut-être différente de ce que j'en retiens. C'est sûr que mon père a dû me prendre un jour ou l'autre dans ses bras, c'est sûr qu'il a dû embrasser son rejeton et l'aimer, mais je n'en ai aucun souvenir. Par contre, comment oublier le regard qu'il portait à mon frère et l'amour qu'il lui témoignait... Quand nous étions enfants et que nous nous querellions, c'est vrai qu'il était juste. Quand mon frère avait tort, il le grondait, mais sa façon de le gronder me semblait une caresse. Quand il me grondait, moi, c'était tout autrement...

Mon père est peut-être mort ou en train de mourir, et moi je pense à ces quelques images d'enfance qui me restent...

Quand deviendrai-je un homme ?

J'ai mis des kilomètres entre mon père et moi, mais l'espace, ce n'est pas suffisant, c'est le temps qui n'est pas encore révolu, le temps du fils mal-aimé que je suis encore... En vouloir à mon père jusqu'à quand ? Arriverai-je un jour à enterrer le père que j'ai eu, le père que j'aurais aimé avoir ? Et déterrer l'homme qu'il fut... pour que je le devienne ?...

J'ai parlé à Salma. Elle aussi a reconnu la respiration de Radwan, elle aussi n'arrête pas d'appeler sans résultat, elle aussi pense qu'il est arrivé quelque chose à notre père, elle aussi a téléphoné à Nabila.

Rien n'a changé. Répétition à l'infini des mêmes gestes, des mêmes angoisses, des mêmes inquiétudes,

des mêmes « oh ! non, pas encore ! », des mêmes « qu'est-ce que je vais faire ? », des mêmes « qu'est-ce que nous allons faire ? ».

Ils ont pris mon changement de nom pour une trahison. C'était plutôt une fatigue. Une grande fatigue. J'étais fatigué de me battre pour rien, d'espérer pour rien. Bourbier, marécage, broyeur d'énergie, ressasseur de merde, marasme, refus de la réalité, folie. La folie atteint ceux qui la côtoient – j'avais si peur de devenir fou, moi aussi, et cette peur me revient souvent. Dans notre famille, la folie ne s'apparentait pas seulement à l'ouragan qui arrache tout sur son passage, mais aussi à un vent mauvais toujours présent qui s'infiltrait en nous et nous obligeait à tenir compte de lui, Radwan, et d'elle, la folie, sans répit, toujours sur nos gardes. Parfois nous arrivions à oublier, à rire, à parler d'autre chose. Un sursis où nous parvenions presque à penser que ça ne reviendrait plus. Mais l'ouragan ne tardait pas à se manifester, chaque fois plus violent, ou moins violent, ou d'une autre nature. Aurais-je pu m'habituer à la folie de mon frère, et surtout, à celle de mon père? Un jour, j'ai compris que cette tornade de folie pouvait continuer sans moi, que je n'étais qu'un comparse dans cette histoire. Un figurant sans nom, sans intérêt.

L'auteur de la tragédie était un inconnu diabolique, dieu ou déesse vautour, rapace et sans-gêne, qui avait écrit pour nous une pièce de théâtre intitulée *Le fou d'Omar* et qui réussissait à tous coups à nous faire jouer dans sa pièce. Le rôle principal allait à Radwan et son adjuvant était Omar, notre père. Ma mère avait un rôle de soutien qui consistait – même si elle n'y arrivait pas toujours – à ne pas perdre le nord. Elle était le coryphée.

Salma, Nabila et moi formions le chœur. Un jour, j'ai pensé qu'en changeant de nom, j'arriverais à changer de personnage, de destin. Mais c'était trop peu compter sur ce que cet auteur démoniaque avait déjà imprimé en moi…

Sans l'amour de ma mère, je me serais senti exilé dans ma propre famille. Outsider depuis l'enfance…

Je ne sais pas pourquoi l'amour qu'on n'a *pas* devient plus important que l'amour qu'on a.

Ma mère aimait tous ses enfants, peut-être m'aimait-elle un peu plus que les autres, mais ça n'a jamais été flagrant. Mon père n'aimait qu'un enfant. Le seul, l'unique. Je dois être honnête, il aimait aussi notre petite sœur Soraya, morte tragiquement, et son amour pour Radwan a augmenté à la suite de la mort de Soraya. Son amour s'est développé, a grandi, est devenu gigantesque, a enseveli tout ce qui était à proximité quand la maladie a frappé. Nous participions tous à cet amour pour le membre malade. Mais plus le temps passait, plus notre amour se changeait en haine.

Exilés, nous le sommes tous, à des degrés divers. Certains, avec la conscience d'être exilé, d'autres vivant l'exil sans conscience de le vivre : Radwan, constamment arraché à lui-même, vit un exil de la pire espèce ; mes sœurs essaient tant bien que mal de se refaire des racines avec l'aide de leurs enfants ; mon frère Hafez défait toutes attaches à mesure qu'elles se font. Je suis le seul de la famille à connaître ses nombreux numéros de téléphone. Il m'appelle de temps en temps, chaque fois d'un pays différent. Il n'a pas changé radicalement de nom comme moi, mais il l'a charcuté, anglicisé, mondialisé. Être *workaholic* est mieux accepté qu'être alcoolique, mais les deux proviennent du même besoin : la fuite.

J'ai fui, moi aussi. Je me suis construit une identité, un passé et des désirs, comme j'avais commencé à le faire pour mes personnages. Je me suis inventé un père et une mère. Un lieu de naissance. Une enfance et des amis, un caractère, des aspirations et du talent. Je me suis fait fils unique et adoré par ses parents. Dans les interviews, je dis que mon père et ma mère s'adoraient et que ce qu'ils adoraient encore plus, c'était leur fils unique, que chacun retrouvait en moi une partie de lui-même ainsi que la partie de l'autre qu'il aimait, et que j'avais pris le meilleur des deux mondes... Ce jour-là, j'ai eu peur que mon frère soit à l'écoute. J'avais préparé le mensonge qui l'aurait convaincu que ce n'était qu'un jeu, mais je me suis juré de détourner dorénavant les questions concernant ma biographie. Les journalistes et le public en général sont friands d'histoires personnelles et préfèrent apprendre ce que tu manges le matin, quelle marque de culotte tu portes, plutôt que le comment et le pourquoi de l'écriture. Dans son premier roman, Dany Laferrière écrivait: *Je n'ai pas d'avis. Ou je parle écriture ou je ne parle qu'en présence de mon avocat.* J'ai aimé la formule et serais tenté de la mettre en pratique, mais je ne serais plus invité nulle part et mes livres se vendraient moins ou plus du tout. Je suis une pute, au fond, je donne à boire et à manger, je racole mes clients en racontant ma vie que j'invente presque à mesure.

Dans le roman de ma vie inventée, j'ai fait mourir mon père et ma mère dans un accident de voiture, tous les deux, c'était plus simple. Dans un feuilleton télévisé, quand on ne sait plus quoi faire avec un personnage encombrant, on le fait mourir. Et j'ai bien fait. Quand le succès a frappé, une bombe littéraire disait-on, et que du jour au lendemain j'ai été invité dans tous les talk-shows et émissions de variétés, j'aurais frôlé la catastrophe si un journaliste zélé était allé interviewer les parents du jeune prodige...

Je suis donc devenu le dernier de la lignée de Victor Duranceau et de Marie Durand, qui avait une mère amérindienne... Ce qui m'a parfois servi pour répondre aux questions sur ma couleur un peu plus foncée que celle de la majorité. Je faisais partie de ces nombreux Québécois qui sont fiers de dire qu'ils ont une grand-mère amérindienne, comme si leur mince branche autochtone légitimait leur présence ici. Je me suis mis à dévorer les livres sur les traditions amérindiennes et à apprendre des légendes par cœur, légendes que ma grand-mère m'aurait racontées durant l'enfance. C'était du plus bel effet et mon auditoire était captivé...

J'avais trouvé les noms et prénoms de mes parents avant même de tomber sur le mien.

Victor-Henri Duranceau, c'est le nom que je voulais, mais ça ne donnait pas le nombre 1. J'avais choisi mon patronyme tout de suite, sans réfléchir, avant même d'avoir terminé mon premier roman. Mon prénom, par contre, a été très difficile à trouver. Il me fallait un prénom qui, additionné à mon nom de famille, donnerait le nombre 1, en numérologie. Tant qu'à choisir, je désirais le 1. La description de la personnalité du nombre 1 me convenait parfaitement. Duranceau correspondait au nombre 7. Intuitivement, j'avais choisi l'hérédité qui me convenait, mais pour le nombre de l'évolution qui correspond au prénom, donc à l'enfance et à notre possibilité de vivre avec et de grandir avec, c'était une autre histoire. Et c'est là que je me suis aperçu que rayer son père et sa mère de sa vie, et toute l'hérédité avec, était plus facile que de se rayer soi-même dans ce qu'on a de plus intime. Les vibrations de l'enfance nous restent collées à la peau. Trouver un autre prénom, dans lequel je pourrais me sentir à l'aise et quand même évoluer, était très ardu. Et plus ardu encore était de trouver un nombre 3 qui, additionné au 7, donnerait le nombre que je désirais. Hervé, Jérôme, Jean-Daniel, David, Jean Victor... Mon premier roman avançait très bien, était presque terminé, et je n'avais toujours pas trouvé mon prénom. Pressé par le temps, j'ai fini par m'appeler Pierre Luc, du nom de deux apôtres de Jésus, fils de Marie, comme on l'appelle dans le Coran. Pour un musulman, c'était le bouquet, non seulement des prénoms chrétiens, mais des noms d'apôtres... On m'appelle rarement Pierre Luc, on dit plutôt Duranceau ou PLD.

Mon accent libanais était à peine perceptible puisque j'étais arrivé au Québec vers l'âge de dix ans, mais j'ai quand même travaillé ma diction pour rendre ma prononciation la plus neutre possible. Je n'ai pas essayé d'imiter l'accent québécois, car il y a trop d'accents différents et l'imitation par un étranger sonne presque toujours faux. J'ai donc opté pour l'accent du Québécois qui a longtemps étudié, qui a voyagé, qui a dû parler en public, qui parle d'une façon claire, dans un style soutenu et imagé, comme certains acteurs ou personnalités que l'on entend souvent à la radio et à la télévision. J'avais en tête Marcel Sabourin, ses gestes, sa présence, sa profondeur et sa drôlerie... Il aurait fallu qu'un fin phonéticien s'attarde sur mon cas pour déceler mes origines. Et comme mon apprentissage de la langue française a été fait au Liban, du moins la base, il m'a fallu porter une attention particulière pour éviter les expressions typiquement libanaises...

Déjà à quinze ans, je cherchais la voie digne de mes ambitions. Mon frère trônait à la droite du père et moi, dans le cœur de ma mère. Déjà à cette époque je voulais m'extirper du trop-plein et du trop-vide. J'espérais un miracle. Mais je savais que ce miracle, je l'accomplirais seul, délesté de mon passé. Adolescent, je rejetais ma culture avec tant de facilité. Aujourd'hui, je ne sais pas ce que je donnerais pour entendre à nouveau la voix du muezzin chanter au loin les prières de mon enfance, c'était là, sans que j'y porte une attention particulière, c'était là, rythmant nos jours et nos nuits, un fond sonore réconfortant...

Dieu que j'avais hâte d'être quelqu'un ! Quelqu'un d'autre.

J'aurais aimé être comédien si j'avais eu le moindre talent pour l'interprétation et la dépendance. Être dirigé par les autres, dire les paroles des autres ne convenait pas à mon caractère. J'avais trop longtemps été à la merci d'un regard qui n'était pas venu, d'un mot qui n'avait jamais été dit. Je voulais être à la source du mouvement et de la parole, je voulais imprimer dans l'imaginaire de l'autre ce que j'aurais voulu qu'on imprime en moi.

J'ai décidé d'être écrivain le jour où un professeur a lu une de mes compositions en classe. Le silence parfait, puis des « Oh ! wow ! où ce que t'es allé pêcher ça, Abou Lkhouloud ?! L'as-tu copié quelque part ?! » Je n'avais rien copié, j'avais pris tout cela dans ma tête, en déformant un peu ce que je connaissais, ce que je voyais autour de moi, en améliorant la réalité, en la rendant parfois magique. La plupart écorchaient mon nom, j'y étais habitué, mais ce jour-là, j'aurais aimé qu'on prononce mon nom comme il doit être prononcé. Je crois que l'idée de changer de nom m'est apparue ce jour-là...

Une minorité se sent toujours visible, surtout à ses propres yeux. Même si parfois la majorité semblait oublier que nous venions d'ailleurs – avec le temps nous étions de plus en plus nombreux à être nés ailleurs –, nous-mêmes, nous n'arrivions presque jamais à l'oublier. Il me fallait donc trouver un métier où « être étrange et différent » ferait partie du jeu et serait accepté par tous. Et même envié. J'aimais mieux être considéré comme différent à cause de mon métier qu'à cause de mes origines ; j'aimais mieux me faire dire : « Lui, c'est pas pareil ! c'est un artiste, un écrivain » que « Mais lui c'est pas pareil, c'est un Libanais, un musulman ! » Et choisir d'être libanais et artiste aurait été une double marge. La marge de la marge ne m'intéressait pas. Je voulais être dans le *mainstream*. Je voulais être connu, adulé, riche, je voulais avoir des amis qui m'adorent et des ennemis qui m'abhorrent, j'avais envie de briller, être une étoile montante, une star.

Je voulais un nom de plume et, plus encore, une identité que je forgerais avec ma plume. Sans en parler à personne – à qui pouvais-je en parler? –, j'ai commencé à rêver. J'ai rêvé ma nouvelle identité de la même manière que j'allais plus tard écrire mes romans. Je commence par divaguer, par rêver. Avant même de mettre un mot sur le papier, j'imagine, je construis et je déconstruis et je reconstruis jusqu'au moment où mon histoire est solide. Les rares fois où l'on me pose des questions sur l'écriture, on est émerveillé par le peu de temps que je prends pour écrire un livre. Même si j'essaie d'expliquer qu'il y a eu tout un travail préalable de rêveries, ça ne compte pas. Le chiffre magique reste pour eux le temps d'écriture, bien assis devant l'ordinateur. Or pour moi, c'est le moment le moins intéressant, même si parfois les surprises sont des plus captivantes.

Ma sœur Salma vient de m'appeler pour me dire qu'elle est très inquiète et qu'elle a décidé de se rendre à Montréal. Je lui ai dit de ne pas se déranger, que j'irai, que de toute façon je devais y aller, que j'aurai juste à devancer mon voyage de quelques jours. Elle était soulagée. Je ne devais pas aller à Montréal, mais un voyage impromptu est plus facile pour moi que pour elle, je n'ai pas d'enfants ni de patron.

En devenant écrivain, je réalisais le rêve de mon frère. Il écrit depuis l'enfance des pages étonnantes, très belles, mais il n'a jamais pu aller jusqu'au bout d'un projet, jamais pu mener à terme le moindre livre. Poésie, nouvelles, romans ou même essais historiques ou politiques : il aurait pu exceller en tout. Quand je pense à son rêve impossible, et toujours présent, ma douleur à l'estomac me revient plus vive encore.

Radwan croit que je lui ai volé son métier, ce n'est pas vrai. J'avais décidé que je serais écrivain vers l'âge de quinze, seize ans, quelques années avant qu'il tombe malade. C'est vrai que mon choix s'est affirmé quand j'ai vu que Radwan ne deviendrait jamais écrivain. Pour moi, être écrivain était devenu une manière de lui rendre hommage, de dire au monde entier, à la famille et à lui qui a été brisé par la vie que tout n'est pas perdu, que je porte son rêve et le rends réel. Même si je n'écris pas comme il aurait écrit, même si je pense qu'il aurait écrit beaucoup mieux que moi si…

Un jour, il m'a fait une demande qui m'a stupéfié : « Écris un livre sur moi, Rawi. Écris tout ce que tu veux. Je te donne la permission de prendre ma vie et d'en faire un livre, un roman. Peut-être qu'en te lisant, je finirai par comprendre quelque chose. Par comprendre ma vie. »

J'avais envie de le prendre dans mes bras et lui dire à quel point j'étais touché par sa demande. Je n'ai pas voulu m'émouvoir pour ne pas risquer de l'émouvoir, alors je suis resté distant et je lui ai répondu que j'avais beaucoup de projets de romans en cours et que peut-être un jour… Mais je sais que je ne pourrais pas écrire sur lui, car je risquerais d'emprunter des sentiers trop connus, de me perdre dans des lieux que j'ai évités depuis si longtemps. Juste de penser à lui me replonge dans des états incontrôlables aussi familiers qu'innommables. Ses tentacules sont si poreux qu'ils suceraient toute l'eau de mon corps si je me laissais aller. Son histoire est si incrustée en moi que je ne saurais pas comment prendre la distance nécessaire pour la transformer, la transposer afin qu'elle devienne un roman, une histoire avec un début, un développement et une fin, un conflit qui se noue et se dénoue. Il me semble que le nœud est si pervers et si pernicieux, si clair et si caché, glissant et rêche, fuyant et présent, qu'il m'apparaît impossible de le maîtriser et de le résoudre, même dans un livre.

Je ne saurais pas par quel bout la prendre, sa vie. Est-ce qu'un homme qui a toute sa raison essayerait de désamorcer une bombe à mains nues, sans protection aucune ?

Même si je pouvais écrire un livre en m'inspirant de lui, est-ce que je le ferais ? Pour qu'un livre prenne forme, il faut le désir et la volonté. Je n'ai ni l'un ni l'autre. Certains auteurs écrivent leur vie, d'autres écrivent des vies. J'aime mieux inventer des vies et leur donner chair avec mes mots que d'essayer de transposer les vies que je connais avec des mots qui forcément les amoindriraient. La réalité est insaisissable. Tous les mots sont en deçà de la réalité. La poésie seule peut rendre la densité et la complexité de la vie, et je ne suis pas poète. Je suis un conteur populaire comme d'autres sont des chanteurs populaires. J'aime ce rôle que j'ai choisi. Mes lectrices et mes lecteurs m'aiment et passent des heures assis bien confortablement à lire les histoires que je leur raconte. Mes histoires deviennent parfois des films ou des téléséries avec des cotes d'écoute enviables. Mes livres se vendent bien, ils sont traduits dans plusieurs langues et ma carrière est dans sa courbe ascendante. Que demander de plus ?

Dans vingt ans, quand j'aurai épuisé toutes les histoires que j'ai dans la tête et que je ferai le tour du monde, avec seulement un crayon et un carnet, j'écrirai peut-être l'histoire de mon frère. Sans la publier. Mais peut-être qu'à ce moment-là, je ne voudrai plus m'arrêter et descendre de mon trône, peut-être que je m'accrocherai à la célébrité, même si ma source est tarie. En ce moment, je me dis que non, je ne ferai pas comme ceux qui m'ont précédé, mais j'ai construit tant de personnages ambitieux et je sais comment fonctionne le pouvoir, surtout, l'habitude du pouvoir. Descendre de son trône, ou pire encore, en être chassé, c'est la déchéance, la mort. Pour un vrai écrivain, c'est toujours le dernier livre qui compte, le dernier combat, ses réussites d'avant font partie du passé... Personne ne veut être considéré comme un has been, personne ne veut mourir... sauf mon frère – et moi, quand je pense trop longtemps à lui, quand je me laisse engouffrer dans son monde...

Je n'écrirai jamais l'histoire de mon frère.

J'ai téléphoné à mon agence. Béatrice était surprise, non pas de m'entendre – on se parle tous les jours –, mais de ma demande. « Un billet pour Montréal ? mais pourquoi ? il me semblait que tu étais en période d'écriture, j'ai refusé deux interviews pour te laisser travailler ! » Je ne pouvais quand même pas lui dire que mon père est mort. Mon père, Victor Duranceau, est mort avant le premier livre de Pierre Luc Duranceau, elle est bien placée pour le savoir, on se connaît depuis une douzaine d'années. Béatrice est venue me chercher dès la sortie de mon premier livre, elle a un pif extraordinaire et elle ne s'est pas trompée. J'avoue qu'elle a beaucoup fait pour moi. Honnêtement, je lui dois la réussite de ma carrière et, elle, elle me doit sa réussite financière, car même si j'avais toutes les possibilités de changer d'agence, je ne l'ai pas fait et je ne le ferai pas. Béatrice est, je pourrais dire, ma seule véritable amie. Ses bureaux sont devenus ma maison et celles qui y travaillent, ma famille. Je l'aime et j'ai confiance en elle, mais je ne lui ai jamais soufflé mot de ma véritable identité. Un soir que j'avais beaucoup bu, j'ai presque failli…

J'ai beau mentir comme je respire, je ne lui ai donné aucune explication sur mon voyage à Montréal, j'ai dit : « Je veux que tu me trouves un billet Miami-Montréal. Si Key West est plein, je suis prêt à prendre mon auto pour Miami. » Et j'ai enchaîné, avec la voix du roi qui commande sans même hausser le ton : « Béatrice, ma chérie, considère qu'à Montréal je ne serai là pour personne. Je voudrais aussi que tu préviennes nos amis Marcelle et Claude. Tu leur diras que je reviendrai dans quelques jours. »

Béatrice me connaît assez pour ne pas insister quand je prends ce ton incisif et sans équivoque. « Je te rappelle tout de suite, Duranceau de mon cœur. » C'est toujours ce qu'elle dit quand il n'y a rien d'autre à faire que d'exécuter mes ordres.

Si je me laissais aller, c'est sûr que je pleurerais comme un enfant, un enfant abandonné. Au lieu de cela, je deviens chiant, dur et même méchant. Quand Radwan est en crise, Rawi se réveille malgré moi et veut prendre toute la place. Rawi se heurte au Duranceau que je suis devenu. Rawi étouffe dans le corps et la vie de Duranceau, il n'a aucune place. Je suis coincé entre Rawi et Duranceau.

Ceux qui connaissent Duranceau ne connaissent pas Rawi ; ceux qui connaissent Rawi ne reconnaissent pas Duranceau… Ça me frappe chaque fois, même si c'est moi qui ai mis tous ces morceaux en place, ça me frappe tout de même : je suis seul, dans une prison que je me suis construite moi-même.

L'arrogance, c'est vrai, l'arrogance, mon frère a raison. C'est ma seule porte de sortie.

Il n'y a rien d'autre à faire que de laisser passer, Béatrice le sait, même si elle ne connaît pas la cause de ma transformation soudaine, qu'elle doit mettre sur le compte de petites crises de vedette, je suppose.

Béatrice ne connaît pas l'existence de Radwan, ni son pouvoir sur ma vie, elle ne sait pas qu'il peut venir à tout moment mettre le feu dans l'aile gauche de mon château…

Je suis allé faire une sieste. D'habitude, c'est dans cette position que je travaille sans travailler. Les histoires viennent à moi dans cet état de somnolence. Dans cette détente complète du corps, et de l'esprit que je laisse libre d'aller là où il veut, mon inconscient fait les plus belles trouvailles. Je le laisse bosser, moi je me repose.

Je vois mon père. Je l'entends me dire: « Je suis fier de toi, mon fils. »

Je dois sûrement être en train de dérailler, mon frère ne sera plus le seul fou de la famille… « Je suis fier de toi, mon fils. » Jamais je n'ai entendu cette phrase. Dans ce sens, j'ai toujours été orphelin. Comment aurait-il pu être fier de moi, puisqu'il ne m'aimait pas? On ne peut pas être fier de ce que l'on n'aime pas. Mais je m'en fous, je m'en fous! Qu'il meure! Je serai bien content.

Ça fait longtemps que les histoires de la famille ne m'ont pas happé de la sorte. Je n'arrive pas à glisser dans la somnolence sans que l'image de mon père ou de mon frère vienne prendre toute la place. Mon frère se superpose à mon père, mon père à mon père. Je le vois jeune, en fondu, je le vois mourant et tout à fait mort. Des flammes tout autour de lui, il est couché dans sa chambre et mon frère affolé zigzague entre les flammes, attiré et repoussé par elles. Avec toute ma volonté, je ramène les personnages de mon roman, je les oblige à prendre l'espace, à bouger comme ils le font d'habitude. Ils obéissent à ma volonté, mais aussitôt que je m'abandonne, ils prennent le visage de mon frère fou en feu. Les cheveux de mes personnages brûlent. Les cheveux de ma mère sont en flammes. Je me lève d'un bond. Je vais sortir, marcher, aller prendre un café, un verre, n'importe quoi qui me divertira. Je m'en veux. Je m'en veux d'être aussi faible. Toutes ces années d'exercices de volonté pour en arriver au même point! Un bégaiement au bout du fil et je suis à nouveau chaviré. Atteint au même endroit, dans cet espace flou et mou de mon cerveau limbique. Je les déteste. Je me déteste. Comment les couper définitivement de ma chair, comment les effacer de mon cerveau, comment arriver à l'indifférence ? Et l'autre idiot qui veut que je lui écrive sa vie ! Il n'a aucune conscience. Il n'a pas la moindre idée du grabuge. La moindre idée du désastre. Sa vie a déteint sur la mienne, éclaboussé ma vie. Nos vies sont tricotées avec la même laine monochrome. Tous les efforts que j'ai faits pour sortir ma vie de la sienne, pour prendre une distance vivable, viable ! Les malades, les victimes sont des nombrils ambulants. Ils n'ont aucune conscience des autres. Et monsieur est fâché parce que je ne le mets pas à la première place dans mon œuvre. Et quoi encore ?! Il occupe la première place dans ma vie, n'est-ce pas assez ? Il n'y a que la mort qui me délivrera de lui. À chaque rechute, je ne peux plus l'enlever de ma tête, sa présence devient obsédante, je respire l'air qu'il respire même à des kilomètres de distance, et je m'en veux. Je m'en veux d'être incapable de m'en débarrasser, une fois pour toutes, par mes propres moyens, par la force de ma volonté.

J'ai fait mourir tant de personnages dans mes romans, pourquoi n'arriverais-je pas à le faire mourir ? Peut-être qu'il a raison… Écrire sa vie… Et par la magie de la fiction… le faire mourir… Pleurer sa mort comme j'ai pleuré les personnages que j'ai fait mourir, et ce serait fini…

Duranceau, tu es d'une faiblesse inouïe. Changer de nom, vivre pendant des mois loin de Montréal que tu aimes, à quoi cela a-t-il servi, si tu es incapable de changer de cerveau, de cœur, de sang ? Tu es attaché à la souffrance de ton frère et tu en as fait le terreau de ta vie. Sans cette souffrance intarissable, que tu fuis avec toute ta volonté, tu n'es rien. Ta souffrance liée à celle de ton frère est ce qui te compose, ce qui t'identifie. Sans elle, tu te sens vide. Arracher la souffrance de toi, t'arracher d'elle ne sert à rien, puisqu'elle revient comme l'herbe pousse. Elle est l'eau que tu as bue et que tu boiras. Elle est ta source. Ce que tu as vécu est un poisson rouge increvable, s'il meurt, un autre le remplacera, identique. Accepte donc. Accepte donc une fois pour toutes. La première fois que tu as entendu ce mot dans la bouche de ta sœur aînée, tu t'es dit: elle a raison, nous devons accepter la maladie de notre frère. Mais ce n'était qu'un premier pas. Il faut maintenant que tu acceptes tout ce qui va avec. La maladie de ton frère est indissociable de ta maladie. Une maladie incurable, elle aussi, si tu ne la regardes pas en face, si tu ne l'acceptes pas. Cette maladie a pour nom: la culpabilité et le passé vécu ensemble. Culpabilité et passé, indissociables, comme ton frère et toi. Vous êtes nés presque jumeaux, souviens-toi, tête à tête, il aurait pu naître toi, tu aurais pu naître lui. Tu es sain d'esprit, il est fou. Mais le contraire aurait été possible, tout à fait possible. Ton père aurait pu t'aimer et te détruire. Il l'a choisi, lui. Hasard. Position des astres. Il est né sous le signe du poignard arabe, tu es né sous le signe de la fronde. Ç'aurait pu être le contraire. Ton frère est pris dans l'engrenage de la folie et toi dans l'engrenage de la culpabilité. Si la maladie est un coup du destin et fait partie de la condition humaine, la culpabilité, elle, est ce que les hommes ont inventé pour se soumettre au destin tout en le refusant. La culpabilité est la résistance à ce qui existe, c'est l'incapacité de faire le deuil de la perfection. Regarde cet homme qui tend la main pour recevoir une pièce, regarde la culpabilité dans l'œil de celui qui lui donne une pièce, et même de celui qui ne lui en donne pas. Il se dit: ç'aurait pu être moi. Et il a raison, ç'aurait pu être lui. Cet homme qui tend la main garde ta culpabilité bien vivante jusqu'au moment où tu la transformeras en responsabilité. La responsabilité se vit dans l'action, si minime soit-elle, la culpabilité se vit dans la passivité. La responsabilité accepte l'imperfection de la vie, la culpabilité la fuit, la rejette, l'oublie. C'est ce que tu fais pendant des mois, tu oublies, tu essaies d'oublier, il faut que tu oublies que tu as un frère, un père… Jusqu'au moment où le clochard te tend sa main. Entre au café, divertis-toi, parle au garçon. Parler l'anglais est déjà un divertissement. Cela t'éloigne de ta langue maternelle et de la langue que tu as choisie pour écrire. Repose-toi. L'obsession n'a jamais rien donné de bon. Tout comme la culpabilité. L'oubli non plus. Un café ? Non. Des bulles. Pour la légèreté, rien de mieux que des bulles. Pour ne pas avoir à toucher le cœur de ton impuissance, quoi de mieux qu'un verre ou deux de champagne en plein après-midi !

Enfourcher ma bicyclette. Faire le tour de l'île. Rouler. Me forcer à. M'attacher à ce que je vois et non plus à ce que j'entends dans ma foutue tête. Regarder la mer. Non. Ça me rend nostalgique. La mer avant la guerre. La mer avant la folie. Pédale, Duranceau. Pédale. Sauve-toi. La sueur lave encore mieux que l'eau et le savon. Rester concentré sur cet effort à faire. Encore et encore. Jambe gauche, jambe droite, chevilles souples, c'est le truc, pousse, tire, pousse, tire. Sauve-toi. Tu n'as que toi au monde. Tu ne peux rien pour personne. Sauve ta vie. Tout le monde n'a pas besoin de sombrer parce qu'il sombre. Ta vie peut continuer même si sa vie à lui est un désastre. Lui, c'est lui, toi, c'est toi. Vas-y. Roule encore. L'effort physique te repose, t'empêche de penser. Tes cuisses se nouent de douleur. La douleur aiguë remplace la douleur sourde. Respire. Ah ! une légère pente. Respire. La vie est immense et pleine de ressources, loin de tout, en présence de la vie qui palpite dans tes poumons, du soleil et de la brise qui te caressent. Tes muscles se détendent, tu respires. La vie est superbe, magnifique. Ta vie t'appartient, les deux mains sur ton guidon, la vie sans entraves. Duranceau, tu es un écrivain heureux. Tu as un corps solide et infatigable, une tête remplie d'histoires à raconter. Tu as hérité de l'humour de ta mère et du talent de conteur de ton père. On t'a appelé Rawi, le conteur, ce n'est pas pour rien. L'amour maternel t'a donné la force de vivre, le manque d'amour de ton père t'a donné le désir et la volonté de réussir. Tes livres se vendent comme du bon pain chaud. La perfection n'existe pas, tu as un rabat-joie comme tout le monde. Même ceux qui n'ont pas de problèmes s'en inventent : je suis trop gros, trop maigre, je suis trop vieux, elle m'a laissé tomber, je n'ai pas de maison de campagne, j'ai un mari, des enfants et pas d'amant, quelle horreur, mon Dieu, quelle horreur. Qu'est-ce que tu inventerais s'il n'était pas là, s'il ne venait pas de temps en temps t'éloigner de ton bien-être, et te le faire apprécier davantage, avoue-le ? Le jour n'existerait pas sans la nuit, tous les livres le disent, il doit bien y avoir une certaine vérité là-dedans. N'empêche que ta vie serait parfaite. Trop parfaite. La tache couleur sang appelée « frère » est juste ce qu'il faut pour te garder humain.

Va donc chier ! Comme si je ne pourrais pas apprécier ma vie sans avoir un cinglé dans ma famille de tordus.

Même si mes *down* ne sont pas aussi spectaculaires que ceux de mon frère, il m'est parfois difficile de me maintenir à flot. C'est ce que mon frère ignore. Il préfère penser que tout ce que j'ai, tout ce que j'ai accompli m'est arrivé sur un plateau d'argent, sans aucun effort de ma part. Que j'ai de la chance et lui, pas. C'est vrai, dans un sens. J'ai toujours eu une volonté faramineuse. Faramineux dans son sens premier : bête féroce, sauvage, volonté féroce, sinon je resterais couché comme lui pendant des mois. J'ai eu beau lui expliquer, en long et en large, que tout le monde souffre, pas seulement lui, il ne le comprend pas ou ne veut pas le comprendre.

Quand je m'égare, que je ne sais plus pourquoi je vis, surtout quand mon goût de vivre s'émousse, quand soudainement tout ce qui me paraissait important ne l'est plus, j'écris. J'écris une histoire où le personnage principal a perdu le sens de sa vie et je fais en sorte qu'il le retrouve. Une fois l'histoire terminée, le livre achevé, j'en suis au même point. Le livre m'a rendu heureux pendant que je l'écrivais, c'est tout. « Allah Akbar, dirait ma mère, mon fils, tu as transformé la noirceur en lumière ! »

Pour certains de mes lecteurs, mes livres les divertissent de la vie, pour d'autres, ils les aident à vivre. Pour moi, ils *sont* ma vie. En les faisant, je touche au bonheur d'être au monde. Même si ma vie en dehors d'eux est plaisante et, à certains égards, enviable, c'est avec mes personnages que je me sens heureux. Si je pratiquais un autre métier, on dirait de moi que je suis *workaholic*; comme je suis écrivain, on dit que je suis prolifique... C'est un fait que le travail est mon refuge, mais c'est seulement là que je me sens bien, que je me sens vivant et libre, que je sens l'ancrage et l'envol; c'est avec mes personnages et mes histoires que je sens que tout est possible, que tout est à découvrir et à explorer, que même les difficultés font partie du jeu et du plaisir de trouver des solutions. Dans ces mondes que je construis minutieusement et avec enthousiasme, je fais vivre qui je veux, mourir qui je veux, et je suis le maître. Parfois les personnages que j'ai créés m'échappent et n'en font qu'à leur guise, je les laisse faire, de toute façon, c'est moi qui ai le dernier mot.

L'univers que j'invente devient plus important que le monde dans lequel je vis quotidiennement. Il devient mon monde, sauf quand...

Je retrouve en écrivant le bonheur de l'enfance, avant la perte, avant d'être chassé du paradis où je baignais dans l'amour absolu. Chaque fois que je suis assis devant mon ordinateur, ou que je suis allongé sur le dos les yeux mi-clos en train de voir mes personnages bouger, marcher, crier, parler, se sortir d'un drame ou y entrer, je nage dans le bonheur. Exactement comme quand j'étais enfant et que je construisais une ville et ses habitants avec des blocs de bois, des boîtes de carton, des tasses à café et tout ce que je trouvais autour de moi. Même si quelqu'un passait à côté et renversait une partie ou toute ma construction, je recommençais sans crier, sans me fâcher, comme si mon plaisir n'était pas d'arriver au bout et de regarder mon œuvre déjà finie, mais plutôt d'être en train de la faire.

Mon bonheur d'enfant était dans ce jeu inutile qui me prenait corps, âme et esprit. Mon bonheur d'écrivain se situe au même endroit.

Aucun livre ne donne, une fois pour toutes et pour toujours, le sens de la vie comme un cadeau impérissable. Pas plus à celui qui l'a écrit qu'à celui qui l'a lu. Un livre peut aider momentanément à y voir plus clair, mais une fois le livre refermé, tout s'estompe. Avec le temps, les émotions, les sentiments, la prise de conscience, la saisie de l'univers, tout se volatilise. On revient presque à zéro. Qu'est-ce qui me reste aujourd'hui de mes lectures de Virginia Woolf, Camus, Proust, Tunström, Balzac, Cervantès, et tant et tant d'autres que j'ai dévorés comme mange un affamé ? Pas grand-chose, sinon le plaisir de l'instant où l'on est submergé par la beauté et par le sentiment soudain de n'être plus seul au monde. Peut-être qu'à mon insu ces écrivains ont eu sur moi *une influence à long terme et très tamisée*, comme disait Jean-Paul Sartre. Alors, quand un de mes lecteurs me dit : « Je viens de finir votre livre et je suis bouleversé », je souris parce que je sais que ça lui passera – ça passe si vite – et qu'il aura bientôt oublié jusqu'à mon nom si je n'écris pas un autre livre et encore un autre.

On pense à tort qu'un livre est moins éphémère qu'une représentation théâtrale. Un livre est plus long à lire, c'est la seule différence, mais une fois la porte du théâtre franchie, une fois le livre refermé, l'oubli commence son œuvre. Le livre existera encore, même sous des couches de poussière, et on pourra le relire si on veut, mais aucune relecture n'aura l'intensité de la première… La première fois que cette émotion parcourt le corps, traverse la nuque et monte jusqu'au crâne. Décharge électrique, fourmillement, frisson, ravissement particulier : l'âme, le corps, l'esprit respirent et se nourrissent de cet instant d'éternité.

La première fois… quand j'ai cru que mon frère était guéri…

Un de mes amis écrivain me parlait un jour de ce qu'il appelait « le fardeau de la première fois », en affirmant que dans la croyance populaire l'importance accordée à la « première fois » était exagérée, surfaite. « La première bicyclette, la première année d'école, le premier baiser, la première fois qu'on fait l'amour, le premier amour, le premier livre qu'on lit seul, le premier livre qu'on écrit, mais y en a marre ! disait-il, j'en ai assez d'entendre des histoires de première fois ! Pourquoi ne pas passer tout de suite à la deuxième fois et laisser la première se morfondre dans l'oubli ? On pourrait au moins dire adieu aux stigmates ! Quelle plaie ! Quel fardeau ! D'autant plus que, la première fois, c'est presque toujours raté ! » Je trouvais ses arguments drôles et convaincants. J'aurais aimé être d'accord avec lui....

De toutes les fois où mon frère est entré à l'hôpital psychiatrique, la première fois est celle qui est inscrite à jamais dans ma mémoire. Quand j'ai besoin d'une émotion forte pour écrire une scène, je fais appel à ce souvenir, et je ne suis pas encore parvenu à l'user, à le rendre inopérant.

La première fois que je l'ai vu se débattre dans une camisole de force ; la première fois que sa déraison est devenue tellement grande que je me croyais devenir fou ; la première fois que je l'ai vu revenir à la maison après un séjour à l'hôpital, bouffi, méconnaissable, accroché au bras de notre père ; la première fois que j'ai vu cette douleur indescriptible dans les yeux de papa, son visage gris, vieux de mille ans ; la première fois que j'ai vu mon frère étendu à plat ventre sur son lit dans notre chambre et que je ne suis pas arrivé à le réveiller...

Ça faisait des heures qu'il dormait. J'avais eu le temps d'aller au collège, de suivre mes cours, de chercher quelques livres à la bibliothèque et de revenir. Et il dormait encore. Ma mère m'a dit qu'il n'avait pas bougé, qu'il n'avait pas mangé ni bu. Maman était dans un état second. Elle ne pleurait pas, faisait des gestes d'automate, déplaçait des objets, essuyait la table, les comptoirs qu'elle avait déjà essuyés, s'arrêtait net, allait à la porte de la chambre, tendait l'oreille, revenait essuyer la table. Je lui ai dit: «Tu veux un café, maman?» Elle m'a répondu: «Demande à ton frère, peut-être qu'il en veut, ça lui ferait du bien.» Je suis entré dans la chambre. Je lui ai parlé en arabe. Dans les circonstances graves, nous parlions notre langue maternelle. «Tu veux un café, mon frère?» Il n'a pas répondu. J'ai insisté. «Je crois que tu as assez dormi, mon frère, lève-toi.» J'ai tout fait pour qu'il soulève la tête. Je me suis rappelé nos jeux d'enfants: tirer la couverture, chatouiller les pieds, pousser l'autre en dehors du lit. Le visage boursouflé, de la bave sur le menton, il était gonflé et lourd. Mon frère était devenu une épave échouée dans notre chambre après un cataclysme, une baleine morte. «Mourir... je... veux... mourir...», les seuls mots que j'arrivais à distinguer dans son murmure. À cette seconde-là, moi aussi je voulais mourir, ç'aurait été si simple de m'étendre à côté de lui et de me laisser mourir. Je ne sais plus si mon envie de mourir fut plus forte cette première fois ou les fois qui ont suivi. Je sais seulement que l'envie de me laisser aller me revient souvent, quand je m'y attends le moins, avec la même force que cette première fois, et que je la rejette avec toute l'énergie et la volonté qui m'habitent.

Cette image de mon frère abandonné par les dieux, presque sans souffle dans ce désert blanc, mon frère frappé par la foudre, ne pouvant lever la tête ni ouvrir les yeux, est pour moi une image de détresse indépassable. C'est à ce moment-là que j'ai saisi le sens profond du malheur, de l'injustice divine, de l'irréparable. J'ai senti que la vie ne valait pas la peine de tant d'efforts puisque, à n'importe quel moment et sans qu'on s'y attende, chacun de nous peut être englouti de cette manière et se retrouver à plat ventre, loque humaine.

Ce jour-là, en voyant mon frère dans cet état pour la première fois, le souvenir de l'homme découpé en morceaux, qui avait hanté mes nuits d'enfant et d'adolescent, m'est revenu, aussi terrifiant qu'à cette époque. Je courais vers la maison. Je ne sais pas pourquoi j'étais seul ce jour-là, sans Radwan, nous étions toujours ensemble, inséparables, je ne sais plus pourquoi j'étais dans la rue et pas à la maison avec toute la famille. La guerre avait commencé et nous n'allions plus à l'école depuis plusieurs jours. J'étais encore à quelques immeubles de la maison. Je courais, il allait faire noir. J'ai vu la tête coupée d'un homme, tassée au coin d'un mur, à côté d'un corps sans bras, sans jambes. Les bras et les jambes dans un tas, un peu plus loin. Je savais qu'il valait mieux continuer à courir, mais c'était plus fort que moi, j'ai regardé. Il fallait que je regarde. Il fallait que je voie, c'était plus fort que moi. J'ai reconnu un bracelet en argent qui brillait. J'ai reconnu une arcade sourcilière, des cheveux, une chevelure abondante, crépue, que j'avais vus le matin même; la bouche était trop déformée, mais j'ai reconnu la forme du visage. Je ne crois pas avoir crié. Si j'ai crié, personne ne m'a entendu, il n'y avait personne dans la rue. Je me suis remis à courir, dans un état que jamais je n'arriverai à décrire. L'homme découpé était Nabil, le fils de nos voisins. Sans frapper, je suis entré chez eux. J'ai dit: « Monsieur Nabil. Monsieur Nabil. » Le père de Nabil a compris tout de suite. Il a couru vers l'immeuble que j'avais indiqué. Pour moi, encore enfant, Nabil c'était déjà un homme. Il n'avait que dix-huit ans, l'âge de mon frère Radwan qui venait, lui aussi, d'être coupé de lui-même. Le visage de cet homme m'a obsédé, terrifié, pendant des années. Mes cauchemars se sont estompés, puis ont disparu, jusqu'à ce jour-là… où je voyais pour la première fois le corps et le visage méconnaissables de mon frère, et que je le regardais, le regardais, en me demandant qui était cette masse inerte devant moi et qu'étaient devenus son âme et son esprit…

Je suis resté là, absorbé par mon frère, jusqu'à ce que maman vienne me délivrer de ma torpeur. Mon corps était engourdi, comme drogué. Longtemps.

Nous dormions encore dans la même chambre, mon frère et moi, nous échangions nos lits parfois. Un jour, je me suis vu dormant dans son lit et, durant une fraction de seconde, j'étais lui, corps, âme et esprit, et lui était moi. Cette expérience m'a fait si peur que j'ai demandé de changer de chambre, prétextant l'impossibilité d'étudier avec lui qui dort tout le temps. Je ne sais pourquoi, dès les débuts de la maladie de mon frère, nous ne l'appelions plus par son nom. Il est devenu « lui » ou « il » ; il perdait son nom, mais gagnait toute la place.

Je n'ai plus de frère. Pourrai-je arriver un jour à laisser descendre cette affirmation, cette sentence, de ma tête jusqu'à mon cœur ? Le cœur peut-il se mentir ? Au moins être en paix avec cet arrachement, avec ce déni ? Peut-on réellement devenir quelqu'un d'autre, se reconstruire comme on construit une nouvelle maison, un nouveau livre ? Château de cartes. Château de paille. Une vieille émotion remonte à la surface, et tout se défait, tout s'enflamme, se consume, malgré les résolutions, la volonté, les prières, malgré l'expérience, les répétitions nauséeuses. Après toutes ces années, je devrais être anesthésié, ne plus réagir à ce refrain monotone, usé, un million de fois répété, pourquoi devrait-il encore réveiller en moi cette émotion, toujours la même, qui me dévaste et me fait revivre mon impuissance, comme au premier jour ? Tout est-il à recommencer ? Toujours ? Même au fin fond de l'Amazonie, sans téléphone, j'entendrais ce même balbutiement dans la bouche d'un autochtone et je penserais à lui, et mon cœur flamberait pendant quelques secondes. Et s'apaiserait. Parce qu'il finit toujours par s'apaiser, mon cœur fou, sinon comment aurais-je pu écrire neuf gros livres en douze ans ?

Je fais chaque livre comme si c'était le dernier. Les écrivains qui disent cela ne sont pas de mon genre : eux, ils se commettent, se donnent, se déchirent, sortent un livre tous les quatre, cinq ans, en un mot ils écrivent « avec leur sang » ; moi, j'écris des histoires avec un plaisir fou. Et pourtant, chaque livre, je l'écris comme si c'était le premier, et le dernier. Avec frénésie. Écrire est la seule chose qui me sauve de ma vie.

Dans les interviews, je ne dis jamais cela, mais plutôt que j'ai mille histoires encore, que je n'aurai jamais le temps de tout écrire. Je me prends au jeu de l'écrivain dont la source est intarissable. À force de le répéter en public, je finis par y croire. Mais entre moi et moi-même, surtout quand mon frère est dans un coin de ma tête, qu'il vient de réapparaître par un coup de fil, balbutiant ou insultant, que son ombre de vautour plane au-dessus de moi, je sens que ma vie est précaire, fragile, que ce livre que je suis en train d'écrire est peut-être le dernier, et qu'un jour, mon frère aura raison de moi, la vie aura raison de moi, ses instincts destructeurs – et les miens – l'emporteront sur ma volonté et ma force créatrice.

C'est à travers lui que j'ai appris l'inconstance de la vie. Même si je me sens souvent invincible, je sais qu'un tremblement de terre peut survenir à n'importe quel moment, me projeter nez au sol, langue pendante, à ne plus savoir qui je suis. Ouragan, feu, débâcle, tempête: c'est mon frère qui m'a appris tout cela. Avec lui, j'ai expérimenté les changements brusques et la répétition à l'infini. Résultat: j'ai peur du changement et je déteste le répétitif. Je n'ai jamais pu supporter de vivre plus de trois mois avec une femme. Très vite la répétition s'installe et c'est toujours moi qui provoque le changement, changement que je ne supporte pas plus que la routine.

Mon frère est fou, et c'est moi qui suis aliéné, qui ai cessé de m'appartenir, qui suis devenu son esclave. Je vis dans une prison. Fabriquée de toutes pièces. Pièce par pièce. Ma vie s'échafaude en réaction à celle de mon frère. Si le destin ne l'avait pas foudroyé, j'aurais eu une tout autre vie. Mais une chose est certaine: si c'est moi qui avais été éclaboussé, il aurait agi comme je le fais. Il n'aurait pas eu le choix, comme je n'ai pas le choix. Le mal – dans notre cas, l'osmose – avait commencé à opérer bien avant sa maladie. Nous sommes nés tête à tête, jumeaux, je dirais même siamois. Aucun scalpel ne pourrait jamais nous séparer.

S'il a dû pour survivre se plier aux exigences du destin, j'ai dû me plier aux exigences de *son* destin. Son destin et le mien sont intimement liés, le mien étant un décalque du sien. Socialement, je suis la lumière et lui, l'ombre, mais peut-être est-ce le contraire? Dans une autre dimension – il y a tant de choses qui dépassent notre entendement – il est peut-être la lumière et moi l'ombre...

Parfois je suis si fatigué de tenir à bout de bras cette construction. Double construction. Vie publique et vie privée. Je ne peux jamais baisser la garde. Me reposer quelque part. Dans les bras de quelqu'un. J'ai peur, même là, surtout là, j'ai peur.

Depuis le 11 septembre 2001, ma peur a décuplé. Si les Américains se mettaient en frais d'amabilité pour moi en voulant soudainement savoir qui je suis... Ils passent tout au peigne fin. Profilage racial, ancienne pratique remise à la mode; les Noirs y sont habitués, c'est maintenant au tour des Arabes, des musulmans. Tous potentiellement terroristes... Paranoïa. Islamophobie. L'un est renvoyé dans son pays d'origine, l'autre croupit en prison. Pour un rien, sans égard aucun à la citoyenneté acquise. La prison de Guantanamo est un fleuron de la démocratie américaine et des droits humains internationaux! Par chance, j'ai hérité des cheveux lisses et marron clair de ma mère et non des cheveux crépus et noirs de mon père. Mais si un jour mon visage ne leur revenait pas... Je pense qu'il serait plus prudent que je laisse ma maison pour un temps. La vendre, la louer. Passer les frontières m'expose chaque fois. Des zélés, il y en a beaucoup plus qu'on ne pense, paranoïa oblige. Un zélé, humilié de surcroît sur son propre territoire, développe la capacité de renifler le musulman aussi efficacement qu'un chien policier renifle la drogue.

Je suis musulman. Depuis le collège, je n'ai plus jamais dit que j'étais musulman.

Monsieur Duranceau, j'ai lu tous vos livres, mais je vous avais encore jamais vu. L'autre jour à la télé, ça m'a fait drôle, je ne vous imaginais pas comme ça. Vous m'avez rappelé un gars que j'ai rencontré il y a très longtemps, c'était un Libanais, je pense, un musulman, vous lui ressemblez comme deux gouttes d'eau...

Un cauchemar que je fais souvent.

Parfois, c'est le contraire, je rêve qu'on découvre ma double identité et ce n'est pas si mal. Comme une délivrance. Dans mon rêve, je me laisse aller. Je parle comme mon frère quand il est dans sa montée. Je deviens comme lui, je n'ai plus peur de rien. Je deviens captivant, épeurant, plus rien ne m'arrête, je deviens soleil comme lui, ouragan comme lui, prophète comme lui. Mon agente s'arrangerait pour que les médias soient présents pour renifler le scandale et vouloir faire la une avec une idiotie, et là, je cracherais mon trop-plein à la face du monde, sans censure, sans peur. Un torrent. Tout ce que j'ai accumulé de frustration et de haine, de blessures et de manque d'amour dans ma famille et dans ma vie publique sortirait d'un bloc comme un cadeau que je me ferais à moi-même après tant d'années de retenue, de mensonges pour ne pas ressembler à mon frère, pour m'éloigner de la famille de mon père. Dans mon rêve éveillé, c'est si plaisant, si exaltant que je me demande ce que j'attends pour tout balancer sur la place publique. Je n'ai plus rien à perdre, j'ai assez d'argent pour ne plus avoir à travailler le reste de mes jours. Je pourrais partir, chevalier errant comme Don Quichotte, aller de par le monde à la recherche d'aventures, sauver la veuve et l'orphelin, les bafoués, les humiliés, les sans-pain, les sans-amour. Ma Dulcinée du Toboso serait aussi inexistante que celle de Don Quichotte, mais je ne désespérerais pas de rencontrer la femme de ma vie.

Mon identité retrouvée, je pourrais alors m'ouvrir à l'amour. Sans peur.

Le livre de Lucien Laflamme

(suite)

Ne laisse pas la tristesse t'étreindre
Et d'absurdes soucis troubler tes jours,
N'abandonne pas le livre, les lèvres de l'aimée
et les odorantes pelouses
Avant que la terre te prenne dans son sein.

OMAR KHAYYĀM

Que je regrette donc mes voisins iraniens ! C'est pas que je m'ennuie, je m'ennuie jamais, ou si rarement, mais là, je m'ennuie d'eux, surtout de Turaj. Même pendant l'hiver on se voisinait.

Presque six mois par année enterré sous la neige, je m'habituerai jamais ! Ceux qui sont nés dans les pays chauds, je sais pas comment ils font, moi je suis né ici, en plein mois de février, y a plus de soixante ans, et j'arrive pas à m'habituer. Alors, eux… J'ai tellement hâte que le printemps se pointe le nez. L'hiver va bien finir par finir, jamais je croirai ! Mais on est encore loin de la délivrance et du jardinage. Pas mal loin de ton profit, mon p'tit gars, comme disait ma mère.

Blanc partout, sauf chez les voisins d'à côté. Des excréments plein la cour. Le garçon sort ses chiens, les enferme dans la cour, pauvres bêtes, il les laisse là pendant des heures. Avant, il jouait avec eux. Ça fait des jours qu'il ne sort pas. Même pas pour ramasser la merde de ses chiens. C'est dégueulasse. Ça va être beau ce printemps !

J'ai déjà vu un sikh, un Indien, un Pakistanais, un Tamoul, je ne sais trop, je les démêle pas les uns des autres, pour moi, c'est du pareil au même, comme les Togolais, Ivoiriens, Nigériens, Maliens, qu'on appelle tous des Africains, par ignorance crasse… Tant de choses à apprendre, et on n'a qu'une vie… En tout cas… L'homme portait un sac d'épicerie en plastique et marchait sur le trottoir. Je marchais sur le trottoir opposé, c'était dans mon ancien quartier. Jusque-là rien à redire, sauf que tout à coup, je l'ai vu, de mes yeux vu, prendre son sac rempli de déchets à deux mains et le vider, sans aucune gêne, sur le côté d'un immeuble, près de la porte d'entrée, en plus. J'étais estomaqué. Les deux bras me sont tombés en même temps, et ma mâchoire aussi, par la même occasion.

Je me suis dit que le sens civique, ça doit être bien différent d'un pays à l'autre, d'une culture à l'autre, mais dans le fond, ça m'a tellement choqué que je l'aurais étripé, le bonhomme! Je ne comprenais pas: il marchait tranquillement avec son sac, tout allait bien, le sac ne débordait pas, alors, pourquoi pas le rapporter à la maison ou jusqu'à la poubelle la plus proche? Il me semblait que c'est ça qui aurait été le plus normal à faire...

J'ai continué mon chemin en pensant que jusqu'à l'âge de trente ans, je n'avais pas vraiment rencontré d'autres cultures que celle des miens. Un peu à la télévision, mais jamais dans la vraie vie. Je n'avais jamais vu personne que je pouvais appeler «un étranger». Même que je n'avais jamais connu de Canadiens anglais! D'un autre côté, jusqu'à trente ans, jamais personne m'avait dit: «T'as un drôle d'accent, toi, tu viendrais pas du Lac-Saint-Jean? – Non, je viens de Chicoutimi. – Ah bon, me semblait aussi!» Tout en marchant, je me disais: oh! mon Dieu! j'en ai fait du chemin depuis que j'ai fait le grand saut de Chicoutimi à Montréal, sans même passer par Québec comme beaucoup de mes amis...

Le geste du sikh – c'était un sikh, je le sais maintenant, à cause de la forme du turban – que j'ai d'abord attribué au manque de civisme, à la culture, et cetera, en y réfléchissant, ça ne tient plus. À bien y penser, un voisin francophone, qui serait né à côté de chez nous, qui aurait étudié au Séminaire de Chicoutimi comme moi, aurait bien pu lui aussi vider son sac de déchets, le cendrier de son char (je l'ai vu faire bien des fois), ou laisser ses chiens faire leurs besoins sur la belle neige blanche, sans rien ramasser, et j'aurais dit que mon voisin ne sait pas vivre, qu'il est mal élevé. C'est tout.

Mais c'est tellement plus simple de sauter à pieds joints sur la différence. C'est plus facile, plus rapide, parce que c'est elle, la différence, qui nous saute aux yeux en premier. J'ai beaucoup appris en côtoyant mes voisins iraniens. Au début, on voit tout ce qui n'est pas pareil, ce qui nous différencie de l'autre, et peu à peu, c'est la ressemblance qu'on découvre. N'empêche que mes voisins iraniens, c'était du beau monde, je les ai aimés tout de suite. Différence ou pas, ressemblance ou non. Un coup de cœur réciproque. Il y a des fils invisibles qui lient les êtres. Le fait qu'ils sachent parler français a été très précieux, ça a facilité nos échanges, même si je sais que la langue n'était pas la raison fondamentale de notre amitié. On parlait, on mangeait, on buvait, on riait, on avait beaucoup de choses en commun et beaucoup de choses à apprendre les uns des autres. Nos enfants s'accordaient bien ensemble, même si les miens étaient un peu plus vieux, et j'ai même invité toute la famille dans mon pays : Chicoutimi. Turaj a ri quand je lui ai dit que Chicoutimi est mon pays. « Qu'est-ce que tu racontes, Lucien, c'est pas le Québec, ton pays ? !

– L'un n'empêche pas l'autre, que je lui ai dit, toi par exemple, tu as immigré au Canada, et sans trop le savoir, tu es tombé dans un presque pays, le Québec. Si tu te mets à aimer le Québec et les Québécois et que tu commences à te sentir chez toi, ici, ça ne t'empêchera pas de dire et de sentir que ton pays, c'est l'Iran, ou Téhéran ou même le village où tu es né. C'est pas parce qu'on aime notre premier enfant à la folie qu'on ne peut pas aimer le suivant et même le troisième. Le cœur, mon vieux, c'est immense un cœur ! C'est sûr que tu peux pas aimer ton petit dernier autant que tu aimes ton plus vieux, parce que tu le connais pas encore assez, ton petit dernier, tu as vécu moins longtemps avec lui. Mais plus le temps passera, moins il y aura de différence entre les deux. Ton dernier ne remplacera jamais ton premier, c'est sûr. Chaque amour est unique et irremplaçable. »

C'était quelque temps avant le référendum de 1995. Il m'a dit en me regardant en plein dans les yeux avec un beau sourire : « Si Chicoutimi est ton pays, comme moi, Téhéran, et que le Québec est un rêve pour toi, alors rêve pour rêve, pourquoi tu ne rêves pas que le Canada devient ton pays ? C'est grand, c'est beau. Pourquoi vouloir plus petit quand on peut rêver plus grand ?

– Parce qu'un rêve, ça vient pas sur commande. Un rêve, c'est profond. Ça apparaît quand on est au repos, quand notre raison n'a plus de pouvoir. Un pays, c'est une émotion, un sentiment profond. Même si, économiquement, ce serait bon pour nous, comme je te l'ai déjà dit, c'est d'abord et avant tout un dépassement de nos vieux patterns de vaincus. Pour nous, les francophones de vieille souche, ce serait un accomplissement de se mettre au monde, su'a mappe, comme on dit par chez nous. Pouvoir un jour s'exclamer : "On a osé ! On l'a fait !" Ce serait la plus belle chose qui pourrait nous arriver. Ce serait extraordinaire pour notre ego collectif. »

Turaj a bien ri de mon « ego collectif ». Moi aussi. C'était la première fois que je mettais ces deux mots-là ensemble. Quand je m'enflamme, je deviens une autre personne, ou peut-être que je deviens vraiment moi-même – après tout, je m'appelle Laflamme par mon père et Lapointe par ma mère, la pointe enflammée ! J'ai donc continué sur ma lancée.

« Effacer une fois pour toutes les stigmates de la défaite ! Passer à autre chose, à une autre étape de notre développement collectif, ce serait pas de refus ! On a besoin d'une vraie victoire, pas juste d'une victoire économique, mais d'une victoire spirituelle ! Turaj, tu dis souvent "la mère patrie" en parlant de ton pays. J'aime cette expression-là, c'est beau, parce que ça parle de père et de mère en même temps ! Imagine-toi, Turaj, imagine qu'un jour je donnerai naissance à mon père et à ma mère ! Tu le vois-tu, le tour de force ?! Un pays que je baptiserai moi-même de mon vivant ! La joie, l'euphorie : ce jour-là, aucune commune mesure avec tout ce que j'ai vécu ! Sauf peut-être la naissance de mes enfants. Juste à y penser, j'en ai un frisson dans tout le corps. La naissance, y a rien qui bat ça, y a rien d'aussi merveilleux…

– Je te le souhaite, Lucien. Ce jour-là, je serai heureux, moi aussi, parce que, toi, mon ami, tu seras heureux d'avoir réalisé ton rêve.

– Est-ce que je vais tenir le coup jusque-là ? Est-ce que je vais mourir avant que ça nous arrive ?! C'est ça, la maudite question. »

Je ne sais plus ce qu'il m'a répondu pour m'encourager à tenir le coup. Comme si la mort était de notre ressort… Don Quichotte disait une très belle phrase à ce sujet, mais je m'en souviens plus… Maudite mémoire, pas plus fiable que la neige qui tombe quand elle veut et s'arrête quand elle veut.

Eh ! que je l'aimais donc, mon ami Turaj ! Il a dû s'expatrier encore une fois. On lui a offert une belle position dans sa branche, une position « rêvée ». Il attendait depuis longtemps l'offre du Québec, elle est venue de l'Ontario. C'est donc de valeur, non seulement je ne vois presque plus mon ami, mais en plus, on a perdu deux beaux votes, même cinq, si je compte ses enfants qui sont maintenant à l'âge de voter…

Mirer la neige quand je suis bien au chaud à l'intérieur, ah oui ! c'est beau, j'aime ça ; mais être dehors, à regarder mes fleurs pousser et le monde se mouvoir, c'est ça la vie ! Chaque geste, chaque action, chaque expression, insignifiants pour les autres, sont pour moi des signes de vie. Le blanc symbolise la mort dans plusieurs cultures, je serais pas loin de le croire quand on est en février, mars, avril et que c'est blanc-gris tout autour… L'hiver, j'ai rien à me mettre sous les yeux, à part les gens qui viennent pelleter les entrées des maisons, ceux qui sortent de chez eux pour s'engouffrer dans leur voiture, ou pire encore, qui passent par le garage qui s'ouvre et se referme automatiquement, à part les quelques passants emmitouflés, tête enfoncée dans les épaules, rien, rien pantoute. Je prends l'autobus au lieu de l'auto quand je descends en ville pour avoir le temps d'observer les gens. Je me tanne jamais de contempler les physionomies. À une autre époque, j'aurais été portraitiste, peut-être. J'ai choisi le travail des pierres précieuses et des métaux nobles. Pas vraiment choisi, en fait, ça m'est tombé dessus et ça me convenait. Gérer mon temps – expression à la mode aujourd'hui – comme je l'entendais, sans boss au-dessus de mon épaule ; tendre à la perfection, sans me presser, juste parce que j'aime le travail bien fait et la beauté, tout cela s'accordait bien avec mon tempérament. J'ai appris le métier très vite et je n'ai pas cessé de m'améliorer. Souvent on a dit de moi que je suis un original. Insulte ou compliment, je ne savais pas trop, alors j'ai cherché le mot dans le dictionnaire pour être sûr. *Qui paraît ne dériver de rien d'antérieur, ne ressemble à rien d'autre, est unique.* Ça m'a paru être une qualité. J'ai continué, un peu plus loin, ça disait : *singulier au point de paraître bizarre, peu normal.* « Bizarre » ne m'a pas beaucoup plu, ni « peu normal »... Je me sentais tout à fait normal et pas du tout bizarre.

J'aime le monde et je suis un homme heureux et libre. Si c'est ça être original, bizarre et peu normal, je le suis. Original ? parce que je fais tout le temps, exactement, ce que j'aime faire ? Bizarre, parce que je suis un contemplatif ? Peu normal, parce qu'un petit rien me réjouit ? parce que ma femme gagne plus d'argent que moi ? parce que c'est moi qui fais le ménage et la cuisine ? Original, parce que je ne prends aucun somnifère, parce que je ne me couche ni ne me réveille anxieux, comme 95 % des gens ?...

Personne n'est arrivé à me dire pourquoi on me trouvait original : « J'sais pas, moi, t'es *pas* comme tout le monde ! » J'ai toujours envie de répondre : *Ah ! non ! c'est un peu court, jeune homme, on pouvait dire, oh ! Dieu ! bien des choses en somme...* C'est merveilleux, la mémoire. J'ai appris ces vers-là il y a une cinquantaine d'années, et ça coule comme si je les avais encore sous les yeux...

J'aime être en train de lire de la poésie à l'heure où tout le monde est en train de travailler ; j'aime travailler quand tout le monde essaie de décompresser, comme ils disent ; j'aime aller au cinéma l'après-midi et me réveiller à quatre heures du matin pour polir mes bijoux ; j'aime travailler quand j'ai envie, et avoir envie de travailler comme si c'était un jeu. C'est peut-être ça qui énerve mes amis, qui les rend jaloux, et au lieu de me traiter d'original, ils pourraient me dire tout simplement : « Je suis jaloux de toi, Lucien, je t'envie, parce que rien ne t'ébranle, parce que tu n'en fais qu'à ta guise, vieux fou ! »

Être original, c'est peut-être juste être à l'origine de sa propre vie. Pas à la remorque des autres, pas suiveux, comme on disait par chez nous. Si on n'était pas tous plus ou moins suiveux, la société de consommation prendrait une sérieuse débarque et les modes aussi. De tout temps, il y a eu des originaux et des suiveux, mais, ce que je ne sais pas, c'est ce qui fait qu'on choisit une talle plutôt qu'une autre... Est-ce qu'on choisit vraiment ?

Jusque-là personne ne m'a demandé comment je faisais pour être heureux, ni quelle était ma recette du bonheur. Si on me le demandait, je leur dirais la vérité : la vérité du *zoom out.* L'observation des espèces animales, végétales et humaine, c'est la meilleure école. J'observe la nature, les petits animaux, les insectes depuis mon enfance, et la ressemblance avec les humains est frappante, quand on les regarde de loin, je veux dire, sans être impliqué d'aucune façon dans leur vie.

J'ai assez vécu et regardé les humains pour savoir que tout est important, et qu'en même temps, rien ne l'est tout à fait...

Chacun a sa vie à vivre, et la mort est toujours au bout de chaque vie et à chaque tournant. C'est simple, et pourtant très difficile à saisir. La peur de vivre, de vivre vraiment, vient de la peur de mourir qui peut à son tour prendre tous les visages : peur de perdre, peur du changement, peur de l'inconnu, peur du vide... Quand on accepte que tout cela fait partie de la vie, on vit. On regarde la mort en face, on lui laisse la place qu'elle veut prendre et on fait avec. Quand on sait que la mort est là, quand on le sait vraiment, la vie prend toute son importance et on ne la gaspille plus à se battre contre ce qu'elle veut nous apporter de nouveau, de différent. Mais le problème, c'est qu'on vit comme si la mort, sous toutes ses formes, n'existait pas. Alors la vie perd son sens puisqu'on l'ampute de sa jumelle, la mort... On s'agite, on ne vit plus.

Je suis en train de relire le *Mahabharata*, la version qu'en a fait Jean-Claude Carrière. *Qu'est-ce qui pour chacun de nous est inévitable?* a demandé un grand sage hindou à ses élèves. Depuis une quinzaine d'années, je pose cette question à droite à gauche, quand ça adonne, et, sur les centaines de réponses que j'ai eues, une seule était la bonne: le bonheur... ce qui est inévitable, c'est le bonheur... Pour la jeune femme qui a trouvé la réponse, cela semblait évident, ça allait de soi... Pas tant que ça, fille – elle avait l'âge de ma fille – un sur trois cents, faible pourcentage! Une autre devinette, que j'aime beaucoup et que j'avais oubliée. Personne n'a trouvé la réponse, même pas les élèves du grand sage. *Et quelle est la grande merveille?... Chaque jour la mort frappe autour de nous, et nous vivons comme des vivants immortels. Voilà la grande merveille.*

Quand j'y pense, la grande merveille, c'est que je suis un homme béni des dieux, surtout depuis que je suis tombé en amour avec une femme extraordinaire, une souveraine. *J'ai pas choisi, mais j'ai pris la plus belle!* Ma reine, Louise Ière, en étant ce qu'elle est, m'a aidé à devenir moi-même. Souverain Lucien, comme elle se plaît à m'appeler avec un petit sourire dans ses yeux coquins.

La mort est au bout de notre vie, mais chaque jour, nous la bravons, nous la regardons en face, en célébrant la vie, en étant heureux. Être heureux, malgré le marasme qui nous entoure, est le seul pied de nez, la seule fléchette que nous pouvons décocher à la mort.

La mort aura raison de nous, un jour, je le sais bien, mais pourquoi la laisser empiéter sur notre vie avant le temps! La mort aime qu'on s'occupe d'elle; la vie aussi...

Quand je pense à la mort – pour l'apprivoiser, il le faut bien –, il m'arrive parfois de penser à la femme d'à côté, morte si jeune... J'aurais tellement aimé la connaître. Sa voix rauque me revient à la mémoire des fois, et je trouve, quand je pense à elle, que la vie et la mort nous dépassent, dépassent notre entendement en sapristi, dépassent tout ce qu'on pourrait en dire du soir au matin et du matin au soir... On a beau réfléchir, revirer les choses, à l'endroit, à l'envers, on ne comprend rien, rien à rien...

Le garçon n'avait pas encore de chiens dans ce temps-là, c'était un peu avant la mort de sa mère. Une nuit que j'avais pas envie de dormir, que j'étais sorti sur le balcon d'en arrière pour respirer un peu, je l'ai vu... Il courait presque nu dans le jardin, les bras levés au ciel. Il semblait léger. J'ai eu l'impression qu'il allait s'envoler, qu'il voulait s'envoler. Je n'étais pas sûr que c'était lui, mais qui d'autre que lui pouvait courir à cette heure de la nuit dans leur jardin? Il a tendu les bras vers le ciel comme s'il voulait l'attraper et ne le pouvant pas, il s'est laissé glisser vers la terre. Je l'ai vu rouler sur lui-même de tout son long, puis il s'est immobilisé pendant un bon moment. Et comme si quelque chose l'avait piqué, il s'est levé d'un bond et il a commencé à faire des culbutes, plusieurs culbutes, puis il s'est immobilisé dos au sol, les bras en croix. J'ai alors entendu son père l'appeler doucement, presque en chuchotant: « Radwan, Radwan » plusieurs fois – je reconnaissais son nom. Le père a continué à lui parler longtemps dans leur langue, sans jamais élever la voix. Le garçon s'est levé, est entré dans la maison. Le père a refermé la porte et je n'ai plus rien entendu. Je suis resté avec l'image de ce jeune homme presque nu implorant le ciel. Et la voix du père implorant son fils…

La mère est sortie quelques minutes après. Elle a respiré longuement, s'est assise, a mis la main gauche sur sa gorge en levant la tête, et elle a regardé le ciel. C'était la pleine lune. Je me souviens que la lune était pleine parce que je me suis demandé si la lune pouvait avoir une incidence sur le comportement du garçon. La mère est restée là longtemps, la main sur la gorge. Moi sur mon balcon et elle sur le sien, nous avons passé une partie de la nuit ensemble à regarder la lune. Quand elle est rentrée, je suis rentré. Je ne sais pas si elle a senti ma présence cette nuit-là, mais moi, j'étais avec elle.

Je revenais de faire ma marche ce matin-là, je l'ai vu sortir de chez lui, méconnaissable, vêtu d'une cape, chapeau haut-de-forme et foulard blanc en soie. Son apparence rappelait celle d'un prince ou tout au moins d'un dandy avec fleur rouge à la boutonnière. Ses yeux m'ont frappé par leur brillance. Il avait l'habitude de me saluer avec un sourire timide, réservé. Ce jour-là, ce fut tout le contraire. Il était flamboyant. Aussi hautain et fendant que Pierre Elliott Trudeau dans ses moments de gloire. C'était le matin, beaucoup trop tôt pour un bal costumé, il me semblait. L'habit ne fait pas le moine, que je me suis dit, mais ça aide, le garçon avait changé du tout au tout, tellement que je me demandais si c'était bien lui. C'était bien lui, mais quelque chose clochait, je ne savais pas quoi. Il a disparu pendant plusieurs jours, je veux dire que je ne l'ai plus revu. J'apercevais ses parents parfois, ils semblaient inquiets, parlaient peu, tournaient en rond, allaient et venaient de l'intérieur à l'extérieur. Même le jardin était délaissé. La mère marchait dans son jardin, l'œil vague, le corps absent, elle n'arrivait pas à travailler. Puis un jour, je l'ai vu revenir. Chapeau et cape avaient disparu. Il avait l'air d'un vrai guenillou, sale, pas rasé. Il a sonné plusieurs fois, sans laisser le temps à sa mère d'arriver jusqu'à la porte.

Peu de temps après, j'ai vu la police débarquer chez eux. Les policiers sont entrés et sont pas restés longtemps. J'ai entendu le policier dire : « Oui, monsieur, on va faire tout notre possible ! Si de votre côté vous avez des nouvelles, n'hésitez pas à nous appeler. »

C'était pas la première fois que je voyais des policiers arriver chez eux, j'ai même vu des ambulances. En quinze ans, il s'en est passé des choses dans cette maison-là... Peut-être qu'ils pourraient en dire autant de chez nous, mais ils ne regardent jamais autour d'eux, ils sont toujours entre eux, ils vivent dans leur bulle...

La seule fois que l'un d'entre eux est venu de notre côté, ç'a été pour téléphoner. C'était la plus vieille, elle habitait encore chez ses parents. Ça fait bien longtemps, à la mort de sa mère, je l'ai vue avec deux enfants... Ce jour-là, elle était venue chez nous pour téléphoner. Leur téléphone ne fonctionnait pas, qu'elle m'a dit. Aucun dépanneur, aucun magasin dans notre quartier, elle n'a pas pu éviter le voisin... Elle m'a dit que c'était urgent, sinon elle ne se serait pas permis de me déranger. Elle ne dérangeait pas du tout, j'étais content de la voir de près, c'était une belle jeune femme. Presque en panique, elle faisait un effort monstre pour paraître détendue, mais son pauvre visage ne parvenait pas à se décrisper. Elle a parlé à son père. Je crois que c'était son père à cause du nom étranger qu'elle a demandé, et du « baba » qu'elle a dit tout de suite quand il a répondu. « Baba », ça ressemble à « papa ». Elle a prononcé plusieurs fois « Radwan », qui est le prénom de son frère. Elle m'a prié de l'excuser plusieurs fois et m'a remercié autant de fois.

Ce jour-là, j'ai vu l'ambulance arriver, suivie de près par l'auto du père. Je n'ai pas vu la suite, mon fils Martin est arrivé sur ces entrefaites. J'étais content de le voir, très content qu'il me rende visite. Ça faisait au moins deux mois que je l'avais pas vu. Au lieu de me dire « je m'ennuyais de toi, papa, j'avais envie de te voir », il m'a dit : « Je suis passé, j'étais pas loin. » Je suis sûr qu'il s'ennuyait de moi, lui aussi... La tendresse, on a de la misère avec ça, nous les gars, c'était la même chose avec mon père. Pourtant, quand je vois mon voisin avec son fils, leurs gestes sont imprégnés de tendresse. Je ne sais pas si c'est dans leur culture ou bien si c'est eux en particulier, ce père-là, ce fils-là. S'ils me laissaient les approcher, je le saurais !

Je ne comprends pas leur comportement. Des Arabes, dans ma tête à moi, ça n'a rien à voir avec eux ! Juste à entrer dans un restaurant libanais ou dans une épicerie marocaine ou syrienne, les gens sont affables, gentils, ils te racontent leur vie, ils te font des bons prix, ils t'offrent un digestif sur le compte de la maison. Les Arabes sont connus pour être des gens hospitaliers, généreux, ouverts. Depuis le 11 septembre, leur image a pris une sérieuse débarque, faut dire. On les sent plus craintifs, sur leurs gardes. On le serait à moins. Être un jeune Arabe en ce moment, ce n'est pas une sinécure. À en croire Bush et ses semblables, chaque jeune Arabe est un terroriste potentiel, tout comme dans les années 1960-1970, chaque jeune Québécois était un poseur de bombe potentiel... Ah ! je retourne à mon travail, ça m'écœure, le monde en ce moment n'est pas du tout à mon goût ! Depuis que l'URSS s'est démantibulée et que Ben Laden a donné tout cuit dans la bouche de Bush la chance de se radicaliser encore plus, c'est la débâcle...

Un jour, on a sonné chez nous. Ma femme, sans prendre le temps de regarder par l'œil magique, a ouvert la porte. C'était lui. Louise l'a planté là, et elle est tout de suite venue me chercher. Elle avait l'air effrayée. Elle m'a dit: « C'est le fils du voisin, je ne sais pas ce qu'il a. » Je me suis précipité à la porte, je l'ai vu de dos. Il avait déjà descendu les escaliers. « Est-ce que je peux faire quelque chose pour vous, monsieur mon voisin ? » que je lui ai dit, avec légèreté, un peu comme si je voulais plaisanter. Il ne s'est pas retourné. « Non non merci, excusez-moi, monsieur, je me suis trompé de porte. » Et il a déguerpi. Je croyais qu'il s'en allait chez lui, mais non. Il a tourné à la première rue. Donc il ne s'était pas trompé de porte. Ou peut-être qu'il avait changé d'idée. J'étais perplexe. J'ai essayé d'en savoir plus en questionnant ma femme, elle répétait toujours la même chose: ses yeux qui bougeaient sans pouvoir se fixer, son air exalté, son souffle court, et c'est tout. J'étais un peu déçu par Louise. Elle a aussi dit: « C'est quelque chose d'indéfinissable. » J'ai voulu savoir ce qu'elle voulait dire par « indéfinissable ». Elle m'a raconté qu'un jour elle était dans un centre commercial et qu'elle a vu une dame assise seule sur un banc. Sur les bancs voisins, il y avait plein de monde, les gens étaient même un peu tassés, et pourtant personne ne venait s'asseoir sur le banc vide. Louise s'est assise à côté d'elle, c'était la seule place disponible et elle était fatiguée. Mais elle a tout de suite compris pourquoi il y avait un vide autour de cette femme, et très vite, elle s'est relevée en faisant semblant de rien, et elle s'est sauvée. « Je ne peux pas te dire pourquoi je ne pouvais pas rester à côté de cette femme, c'est vraiment quelque chose d'indéfinissable qui se dégageait d'elle et que je recevais. Une espèce de décharge électrique. Je ne pouvais pas rester à côté d'elle, j'en étais incapable. – Est-ce que c'était son odeur ? – Non, la femme était propre, peut-être, je sais pas, elle avait une odeur un peu forte, c'est tout. – Est-ce qu'elle disait des choses qui avaient pas de bon sens ? – Elle m'a pas parlé. Arrête de me poser des questions ! Puisque je te dis que c'est indéfinissable, c'est que je n'arrive pas à le définir. Laisse-moi tranquille, je vais aller prendre ma douche. »

Et c'est là qu'Hercule Poirot a pris son trou et que Lucien est rentré dans son atelier, ou a pris un livre qu'il n'a pas lu, parce qu'il y avait trop d'interrogations dans sa caboche.

J'aime lire. Je relis le Coran en ce moment. Je l'avais lu, plus jeune, mais pas au complet. La nouvelle traduction de D. Masson, revue par Sobhi El-Saleh, me plaît davantage, plus poétique. *Commanderez-vous aux hommes la bonté, alors que, vous-mêmes, vous l'oubliez ?* (Sourate de la Vache, verset 44.)

J'aime apprendre des parties de livre par cœur. Un peu pour exercer ma mémoire, un peu pour prendre part à notre mémoire commune, un peu pour me laisser bercer par la beauté. Un jour, j'ai organisé chez moi un récital de poésie que j'ai intitulé : Mémoire et mémoire. Mes amis ont apprécié… une autre occasion de me faire traiter de vieux fou ! Mon par cœur, ma mémoire a été remarquée, mais la mémoire de l'humanité, tout le monde s'en foutait, personne n'a dit un traître mot sur la poésie que j'avais récitée ! J'avoue que ce jour-là je me suis un peu ennuyé des passionnés de littérature qui nous enseignaient au Séminaire. Que d'heures grisantes à analyser et à réciter les textes de nos auteurs préférés, à monter des pièces de théâtre… Beaux souvenirs…

Je pourrais lire et arrêter d'observer mes voisins, mais je me dis que les livres sont là, que je peux les lire quand je veux. Lorsque quelque chose se passe, c'est au moment où ça se passe que je dois regarder. Si je ne suis pas là, c'est déjà terminé, la scène passe sans que je la voie. Un livre ne remplace pas la vie. Il nous fait voir la vie autrement, c'est tout. Il est dans le passé, même si en le lisant, on le réactive, on le remet au présent, le livre peut attendre un autre jour, puisque, de toute façon, il est là. Un événement qui se passe devant nous est toujours au présent, c'est ce qui fait qu'il est irremplaçable, unique, éphémère, et ne peut être différé comme la lecture d'un livre.

Je sais bien que le présent devient tout de suite le passé. Le présent est un caillou jeté dans la mer, englouti par l'eau en une fraction de seconde…

Tout ce que j'accumule dans ma tête d'observateur, je n'en fais profiter personne. Même Louise ne m'écoute pas vraiment quand je lui raconte ce que j'ai vu. Mes déductions l'intéressent encore moins. Elle est jeune, enfin, plus jeune que moi, moins vieille que moi, elle n'est pas encore à l'âge des petites choses de la vie. Je pense aussi que c'est une question de caractère. J'ai toujours été comme ça. Ma mère m'appelait son espèce de fouine, c'est pas pour rien… Fouine et contemplatif, beau mélange !

Pas hâte de mourir car je ne verrai plus rien. Ne pas entendre, goûter, bouger, sentir me rendrait malheureux, c'est sûr, mais si je perdais mes yeux, j'aimerais mieux mourir.

Ah ! que le printemps revienne ! Pas mal plaisant, y a un redoux, on dirait.

Allonger le temps… M'asseoir sur mon balcon avec quelque chose à boire, quelque chose à manger, quelque chose à lire, et ne pas lire, ne pas boire, ne pas manger, juste regarder. Pas forcément ce qui se passe, parce que souvent il ne se passe rien. Rien que l'on peut raconter ou se raconter. Mais juste regarder le temps qui passe. Parfois on sent que le temps s'arrête. Et c'est tant mieux. Parce que si le temps s'arrête, c'est que j'en ai un peu plus long à vivre. Le temps me donne le temps. L'immobilité totale qui rend le temps infini… Même si j'avais une montre, je ne saurais pas combien de temps je suis resté dans cet infini puisque je glisse dedans sans m'en apercevoir…

Parfois je me dis que si mourir, je veux dire la mort, ressemble à ce temps infini, j'aimerais bien essayer… juste pour voir comment c'est, et revenir si ça ne me plaît pas… Beau dommage ! la mort, c'est la seule chose au monde qu'on ne peut pas essayer.

Avoir des enfants aussi. Quand Martin est né, j'étais tellement excité et épuisé que j'ai dit à ma femme en plaisantant, et j'avoue c'était une farce plate : « On va l'essayer pour un bout de temps, si ça va pas, on va le retourner d'où il vient. – Eh ! que tu fais simple toi des fois ! » Elle avait repris son accent de Chicoutimi, comme si toutes les années passées à Montréal n'avaient pas existé. Je me suis trouvé vraiment idiot de dire une chose pareille le plus beau jour de ma vie, le jour de la naissance de mon premier enfant…

N'empêche que… lorsque je pense au garçon d'à côté, que je le vois, encore collé à son père à son âge, je me demande ce que j'aurais fait s'il avait été mon fils ? Est-ce que j'aurais pensé à le retourner d'où il vient ?…

Louise a raison, eh ! que je fais simple des fois !

Qu'est-ce que je vois ?! Mais qu'est-ce que je vois ?! Oh ! mon Dieu ! Oh ! mon Dieu ! Non, c'est pas vrai ! J'ai pas la berlue ! Oh ! mon Dieu ! Doux Jésus !

Le livre d'Omar Khaled Abou Lkhouloud

Le propre d'un grand cœur, monsieur, lui dit Sancho, c'est de savoir se résigner dans le malheur et se réjouir dans la prospérité. Moi, par exemple, j'étais gouverneur, mais maintenant que je suis un simple écuyer à pied, je ne suis pas triste. D'ailleurs, j'ai entendu dire que celle qu'on appelle la Fortune n'est qu'une femme écervelée et capricieuse, et qu'en plus, elle est aveugle ; comme elle ne voit pas ce qu'elle fait, elle ne sait pas qui elle renverse ni qui elle élève.

CERVANTÈS

Je suis mort étouffé. Étouffé par trop d'amour, trop d'espoir déçu. La surcharge abat l'âne, dit-on, et elle m'a abattu, moi, cheval fringant devenu roi des ânes. J'aurais dû me méfier des imprécations de ma mère, mais je n'en faisais qu'à ma tête. J'en ai toujours fait qu'à ma tête jusqu'au jour où mon cœur a pris toute la place. « Qu'Allah t'envoie un malheur qui te rende aussi pitoyable que tu as été impitoyable envers ta mère ; que ta poitrine se dessèche à force d'aimer qui ne pourra te le rendre ; que la chair de ta chair t'oppresse et t'étouffe. » Les malédictions, que ma mère lançait au fils fougueux et insolent que j'étais, entraient par une oreille et sortaient par l'autre, glissaient sur ma peau basanée et parfumée, sans laisser de traces ni de remords. À aucun moment, je ne me suis mis à la place de ma mère, veuve avec trois enfants, pour la soutenir dans sa tâche, ou à tout le moins ne pas la fatiguer davantage. Égoïste et dépravé, je n'écoutais que mon besoin de plaisirs. Seule ma rencontre avec Hoda la magnifique, ma femme, la mère de mes enfants, m'a remis sur les rails. Grâce à elle, je suis devenu un homme. Et ce n'est que depuis que je suis moi-même devenu père que je vénère ma mère, sachant par quoi elle est passée… N'empêche que ses imprécations se sont toutes réalisées.

Rien n'a marché selon mes désirs. L'ensemble de ma vie ressemble à un melon que l'on aurait tranché en deux : une première partie goûteuse, heureuse, et la deuxième, pourrie, immangeable, criblée de morts. Morts lentes et mort vive. Ma fille Soraya, morte brûlée à l'âge de quatorze ans; mon fils Radwan, mort à l'âge de dix-huit ans. S'il était mort une fois pour toutes, pour vrai, je l'aurais pleuré, comme j'ai pleuré Soraya, sans jamais oublié, accepté ou faire le deuil, c'est certain, on ne fait jamais le deuil de ses enfants. Mon fils Radwan est mort vingt et une fois. Sans compter les morts qu'il provoquait lui-même. Il renaissait pour mourir à nouveau.

Allah est grand et il a toutes les qualités comme me l'a enseigné ma religion, mais il en est une qu'il n'a pas – qualité ou défaut, je ne sais pas –: Dieu n'a pas eu d'enfants. Ne serait-ce qu'un seul enfant, de sa chair et de son sang. Allah n'a jamais senti dans son cœur, dans ses os, la mort de l'un de ses enfants; il n'a jamais été foudroyé par la perte de sa propre chair. S'il l'avait éprouvée, ne serait-ce qu'une fois, il n'aurait jamais permis que moi, humain, n'ayant qu'une vie à vivre, j'aie eu à cohabiter avec la mort plus de vingt fois. La mort de ma fille Soraya aurait suffi pour que je vive endolori le restant de mes jours. Qu'ai-je fait pour être puni de la sorte? Les imprécations de ma mère et ma jeunesse débridée ne peuvent, à elles seules, tout expliquer.

Je sais que la vie est injuste. Je n'ai pas vécu soixante-huit ans sans le savoir. Mais maintenant que je suis presque dans l'autre monde, je me rends compte que les seuls enfants que j'ai eus sont ceux qui sont morts. C'est injuste pour les autres. Il me semble que je connais à peine leur nom. Tout comme Dieu l'a été avec moi, j'ai été injuste avec eux. J'ai été injuste avec Salma, l'aînée qui a porté le poids de nos malheurs, injuste avec ses enfants, injuste avec Nabila qui cherchait mon regard et mon approbation, injuste aussi avec Rawi qui a porté son frère à bout de bras, jusqu'à épuisement sans doute, je ne sais pas. Il est dit dans le Coran: *Nul ne portera le fardeau d'un autre.* Et pourtant, il me semble que mes enfants ont tous porté le fardeau d'un autre.

Tous m'ont reproché, chacun à sa façon, de ne pas les aimer. Ce n'était pas un manque d'amour, je les aimais, mais un manque de sollicitude, de disponibilité. Je n'ai pas été attentif à eux, à leurs souffrances, à leurs accomplissements. Je n'étais pas là pour eux. Pour chacun d'eux. Comme un père doit l'être. J'ai trop compté sur l'amour que je leur avais déjà donné quand notre vie s'appelait encore une vie, et j'ai oublié que les regards, les gestes, les mots affectueux et tendres sont à renouveler sans cesse.

Avant, avant que le tonnerre éclate et m'aveugle, j'étais tout autre. Moi, qui n'ai presque pas connu mon père, être père à mon tour était une fierté, un accomplissement, ce que je pouvais vivre de plus précieux et de plus beau. Je voulais donner – et je donnais, je crois – tout ce que j'ai reçu de mon père durant trop peu de temps, et que j'aurais aimé recevoir toute ma vie. Il y avait aussi beaucoup de vanité en moi, bien sûr, beaucoup, pourquoi me le cacher.

À la mort de Soraya, nous avons tous vécu une douleur infinie. Pour ne pas m'écrouler, je travaillais. J'ai toujours beaucoup travaillé, et le travail a été pour moi salvateur. Quand le destin nous frappa à nouveau, notre famille n'avait pas encore retrouvé même un semblant de stabilité, surtout Radwan qui avait beaucoup changé. J'avais peur pour lui. Il a toujours eu une trop grande sensibilité, exacerbée maintenant par la mort de sa sœur qu'il adorait. Pour préparer ses examens de fin d'année, il a travaillé plus frénétiquement que d'habitude, mais je n'ai rien vu venir. Ont suivi l'alcool et les substances chimiques que les jeunes de son âge prennent sans penser aux conséquences. Et c'en était fait de Radwan. C'en était fait de nous. Déflagration, hôpital psychiatrique, et tout ce qui s'ensuit. « Épisode psychotique qui *pourrait* être passager », ont déclaré nonchalamment les médecins. Ce n'était pas leur enfant, mais le mien. Ils ne pouvaient pas encore se prononcer sur la gravité du cas, il fallait voir, attendre la suite. Nous n'avons pas attendu longtemps. Ce qui aurait pu n'être que passager est devenu permanent. Nous ne le savions pas encore, mais la secousse avait fissuré le terrain. Année après année. Crise après crise. Avec beaucoup trop d'espoir entre les crises et de détérioration mentale, morale et physique aussi, année après année… On dit qu'un membre malade peut rendre toute la famille aliénée. C'est vrai. Nous avons perdu toute liberté d'exister, nous sommes devenus esclaves des rythmes imposés par la maladie et nous tournions sur nous-mêmes dans son antre.

Je n'ai jamais su comment faire autrement.

Et, j'ai presque oublié que j'avais d'autres enfants, oublié que Radwan était leur frère et non leur fils, oublié que j'avais une vie, avant. J'étais absorbé par celui qui m'échappait, par celui qui avait besoin de moi. Mon cœur a été un territoire occupé. Occupé par Radwan. Et par lui seul. J'en oubliais même Soraya, notre soleil à jamais éteint. Un coup de marteau sur les doigts fait oublier un mal de ventre. Une douleur vive et aiguë l'emporte toujours sur la douleur chronique. Je n'avais pas le temps de glisser dans la douleur chronique qu'une nouvelle crise la rendait aiguë.

Radwan a été la douleur aiguë de ma vie.

Quand un homme attaque un autre homme à travers son point le plus faible, en paroles ou en actes, on dit qu'il est méprisable, qu'il manque de grandeur, on parle communément d'un coup en bas de la ceinture; quand Dieu attaque un être humain dans ce qu'il a de plus faible, de plus tendre, on ne dit pas qu'il est méprisable, mais tout le contraire: Allah est grand, Allah sait tout, Allah est bon, Allah veut nous éprouver. Il m'aurait rendu infirme, pauvre, malade, aveugle. Mais non, il s'en prend à mes enfants. Il aurait fallu, au préalable, qu'il m'ôte tout ce que j'ai de tendresse et d'amour. Après cela, il aurait pu agir tel qu'il l'a fait. Si on mesure un homme à sa capacité d'affronter les outrages, si c'est bien cela la mesure, je suis un homme faible, d'une faiblesse infinie. Cette épreuve, que j'appelle *crime contre l'humanité*, m'a rongé, jusqu'à la moelle de mes os, jusqu'au tréfonds de ma mémoire. Pendant les vingt ans que mon fils a été dépossédé de lui-même, j'ai vécu mille ans d'espoirs anéantis. Je suis vieux de mille ans. Même mort, j'en veux à Dieu de m'avoir broyé de la sorte.

L'homme qui augmente sa capacité de comprendre augmente sa puissance d'agir, dit-on. J'avoue humblement que je n'ai rien compris ni à la vie ni à la folie. La vie a dépassé tout ce que je pouvais en comprendre et la folie m'a désarçonné, m'a réduit en poussière, m'a asservi. Je n'ai eu, à aucun moment, l'emprise sur elle pour agir adéquatement. L'implacable, l'impitoyable vautour s'est acharné sur l'esprit de mon fils sans que quiconque puisse agir pour l'en détourner, l'en empêcher. Donnez-moi un rhinocéros à abattre, à mains nues s'il le faut, mais pas l'incertitude, l'imprévisible, l'inintelligible. N'importe quel monstre, mais pas la folie.

Si, au moins, il avait pu écrire, peindre, faire de la musique, on aurait pu dire que sa folie a servi. Je l'ai tellement poussé pour qu'il écrive, qu'il fasse quelque chose de sa vie. Chaque fois que je le voyais s'asseoir avec son cahier, j'espérais. Il n'aurait pas eu besoin de gagner sa vie en écrivant, comme son frère, mais il aurait peut-être pu éviter la mort en écrivant. Son expérience aurait pu servir à quelqu'un d'autre et en premier lieu à lui-même. À quoi cela a-t-il servi qu'il soit fou ? À quoi a servi sa souffrance, la mienne, celle de toute la famille ? Si la souffrance à elle seule peut nous anéantir, penser et savoir qu'elle a été vécue pour rien est pire encore. Si l'on me dit que de toute façon la vie ne sert à rien d'autre qu'à vivre, alors pourquoi la souffrance ? Pourquoi certains voguent-ils dans un navire aux voiles blanches et d'autres doivent-ils ramer toute leur vie dans la cale du navire avec des coups de cravache lacérant leur corps ? À part l'injustice, que faut-il comprendre, que faut-il en conclure ? Puisque je suis à l'heure des conclusions, puis-je conclure ? Comprendre ? Comprendre quoi ? Laissez-moi rire avant que mon cœur finisse de se débattre pour la dernière fois.

J'ai connu guerre et folie, et, à un souffle de la mort, je choisirais la guerre, si je pouvais encore choisir, sans l'ombre d'un doute, sans aucune hésitation. Celui qui a dit que *la guerre est la solitude absolue* a vécu la guerre sans aucun doute, mais sûrement pas la folie, je veux dire la folie à l'intérieur de sa propre maison, dans sa famille. Même si la guerre est une horreur absolue, j'ai réussi à m'enfuir. Comment aurais-je pu m'enfuir de la maladie de mon fils ? En l'emprisonnant, en l'internant à vie, en l'envoyant dans un autre pays, en le tuant ? Notre enfant reste notre enfant, qu'il ait cinq ans ou trente-cinq ; les malédictions de ma mère étaient des mots qui sortaient de sa bouche, mais pas de son cœur… j'en suis certain…

La guerre et la folie dépassent l'entendement, mais la folie de la guerre a peu à voir avec la guerre à la folie que l'on fait à l'intérieur de chez soi, dans le fond de sa caverne. La particularité de la guerre, c'est qu'elle est vécue par tous à la fois. Par toute une communauté. Vécu par tous, le malheur est partagé, il n'est pas moins grand, mais on le vit ensemble. Pendant la guerre, ou une catastrophe naturelle, on est soutenu et l'on soutient les autres, la solidarité et l'entraide vivifient nos racines humaines, tandis que la folie vécue à l'intérieur d'une famille écorche nos fondements, ébranle nos racines, défait nos assises. On ne reconnaît plus celui qu'on a toujours connu. Il devient un étranger. Tout comme nous le devenons pour lui. À répétition. La folie désarçonne chaque fois. On ne peut pas s'y habituer.

Chaque fois que la folie frappe, c'est la première fois. Comme chaque membre de ma famille, j'ai été catapulté, en vingt ans, dans quarante pays inconnus, où rien ne ressemblait à rien, où aucun mot ne faisait sens, où aucun geste n'avait de rapport avec l'autre.

Toute communication est rompue, pas seulement avec l'être qui a perdu la raison, mais aussi avec nos amis, nos voisins, notre communauté. Toute vraie relation avec les autres est obstruée par la masse d'ombre que nous portons, que nous ne pouvons dévoiler ni nommer – comment nommer l'innommable ? Nous nous isolons, car nous savons que personne, personne, ne pourra arriver à saisir ce que nous n'arrivons pas à saisir nous-mêmes.

Depuis la maladie de mon fils, j'ai isolé ma famille. Ai-je eu tort ou raison ? il est trop tard pour répondre à cette question. Plus insupportable encore que la maladie de mon fils aurait été le regard que des étrangers auraient posé sur lui, sur nous.

Nous attendions toujours un répit pour nous ouvrir, ouvrir notre porte. Cette rémission n'est pas venue. L'accalmie durait juste assez de temps pour nous laisser reprendre notre souffle avant de nous faire mitrailler à nouveau. C'était pareil pour tous ceux qui ont vécu la guerre du Liban pendant les quinze ans qu'elle a duré.

La guerre du pays a fini par finir : aucun gagnant, que des perdants. Tout comme ma propre guerre qui s'achève avec ma vie : je n'ai gagné aucun combat en vingt ans.

C'est étonnant de voir comment la vie peut nous changer. J'étais l'être le plus sociable qui se puisse trouver, j'aimais le monde et les discussions et les histoires qui font rire ou réfléchir, et la musique, oh ! Dieu ! que j'ai aimé la musique et la poésie. L'être extravagant, frondeur, optimiste s'est transmué en un cœur torturé.

Si plein, ce cœur, qu'il était toujours prêt à éclater ou à se liquéfier.

Avec le temps, je suis devenu une pensée unique à circuit fermé.

Je me suis coupé de tout, en pensant chaque jour que demain ce serait fini. Demain n'est jamais venu. J'ai perdu sur toute la ligne, sur tous les fronts.

On juge un homme à sa manière de se comporter dans le malheur. Dans le bonheur, n'importe qui se comporte bien. J'aurais voulu être un n'importe qui, un quidam, un homme médiocre et sans envergure, et ne pas avoir eu à vivre ce que j'ai vécu. J'aurais voulu que ça s'arrête un jour. Me dire : c'est fini, je passe à autre chose. Mais le malheur sans fin, avec pic et pioche à l'intérieur de la tête de mon enfant, avec descentes aux enfers, et remontées, et descentes encore, et encore, c'est inhumain. J'étais fait pour le bonheur, mon fils aussi. Tout le monde est fait pour le bonheur. Ma cuirasse n'était pas assez dure. Il aurait fallu que ça commence dès l'enfance, que je m'habitue peu à peu.

Rien n'est plus déroutant que la folie parce qu'elle nous renverse dos au plancher, pieds et poings liés, cœur en bouillie. Toujours. Même si on croit la connaître, elle est toujours plus imaginative que nous, elle nous devance, elle se renouvelle tout le temps. C'est un djinn malfaisant et diabolique qui arrive de l'ouest quand on l'attendait à l'est, au printemps au lieu de l'hiver, à l'automne quand il aurait dû frapper pendant l'été.

Les moments de rémission sont les pires parce qu'on croit que c'est fini, que ça ne reviendra plus jamais, on y croit, on veut y croire. La rémittence est traîtresse, car sans espérance, on serait peut-être sauvé. Et ne me parlez pas de maladie physique, d'infirmité à vie. C'est de l'esprit dont il s'agit ici. L'intangible esprit. Mille fois, j'ai espéré l'infirmité du corps, et que l'esprit ne soit pas touché par le tumulte de la folie ; mille fois, j'aurais vendu mon âme au diable et mon corps au charnier pour que mon fils guérisse, qu'il revienne à lui, qu'il ne retombe plus jamais dans les ténèbres, qu'il ne fasse plus jamais de traversée qui l'éreinte, qui le défigure, qui l'émiette. Un jour il m'a dit : « Qui suis-je papa, qui suis-je ? » J'ai pleuré. Dans notre culture, un père peut pleurer sans honte. J'ai tant pleuré. D'autant que cette question revenait souvent sans que je puisse y répondre, sans que je puisse d'aucune façon amoindrir sa peine et son désarroi. « Tu es mon fils. Radwan, tu es mon fils. » Alors il m'a dit : « Oui, papa, je suis ton fils, mais, qui est ton fils ? » Je l'ai regardé, un si beau jeune homme… et je serais mort de peine si la peine pouvait tuer instantanément. « Qui est ton fils, papa ? Celui dont l'esprit s'envole et culbute ? celui dont l'esprit stagne et dort ? ou bien celui qui a peur, si peur de basculer dans le vide ? Je suis si différent d'une phase à l'autre, d'un moment à l'autre, du printemps à l'hiver, et l'été aussi. Je ne me reconnais pas. Quand je suis violent, est-ce que c'est moi qui suis violent ou quelqu'un d'autre ? Est-ce que le prince, c'est moi, le méchant, c'est moi, le vulgaire aussi ? Et celui qui sait tout, et celui qui ne sait rien ? Celui qui bave et qui dort, est-ce le prince ? Celui qui tremble et qui a peur, si peur, est-ce moi, papa ? Dis-moi, papa, qui je suis. Quand toi tu te fâches, c'est toi qui te fâches ; moi, c'est pas moi. C'est quelqu'un d'autre. Je suis quelqu'un d'autre. Je suis quelqu'un d'autre. Mais qui ? C'est qui, moi ? »

Comment l'abandonner, me détacher de lui, me dire que c'est sa vie et pas la mienne, comment ? Comment pouvais-je y arriver sans mourir ?

Ma vie m'a dégoûté de la vie. C'est étrange. Moi qui aimais vivre, j'avais hâte d'en finir, de me reposer. De ne plus avoir d'espoir. Muhammad est mort et le monde a continué à tourner, dit-on. Moi, l'orgueilleux, le cheval devenu âne, j'avais parfois cette humble pensée. Et je l'espérais, la mort, et je m'y m'exerçais.

L'oubli, quoi de plus simple au fond. J'effaçais peu à peu ma mémoire.

Je sentais les bras de mon fils m'entourer, me secouer, me faire mal parfois pour que je revienne à moi, à lui. J'étais content de le voir changer parce que je changeais. Il a commencé à effectuer des tâches, de petites choses qu'il ne faisait jamais: préparer le café, cuire des pâtes, vider les cendriers, balayer la cuisine.

Peu à peu, j'ai commencé à accepter que mon fils ne pourrait jamais être que ce qu'il est. Il ne pourrait jamais devenir ce que j'avais toujours désiré qu'il soit. J'ai pris le détour de l'oubli, car seul avec ma volonté démesurée, mon espoir sans faille, mon amour immense, j'aurais été incapable de courber l'échine, incapable de me résigner.

Que mon corps et mon esprit vieillissent prématurément a été l'ultime requête que j'ai dû adresser à Dieu pour m'aider à atteindre l'autre rivage. Allah m'avait abandonné depuis longtemps, et j'en avais fait tout autant, mais depuis la mort de ma femme, ma bien-aimée, ma compagne de tous les instants, je n'arrivais plus à porter seul ma peine.

J'avais besoin que viennent l'effritement, l'épuisement, la dissolution, l'oubli.

J'ai vu un jour dans les rues de Beyrouth une vieille femme vêtue de noir portant sur son dos un énorme fagot de bois et de branchages. Elle marchait courbée presque jusqu'à terre, sans savoir qu'une belle rose rouge était accrochée à son fardeau et la suivait. Je me suis arrêté, j'étais de l'autre côté de la rue, avec des voitures entre nous. L'image m'avait saisi. Je l'ai regardée longtemps, longtemps, ne sachant pas encore que je voyais l'image de ma vie à venir.

La maladie de l'oubli est, pour moi, cette rose rouge accrochée tout au bout de mon fardeau.

La mort de ma femme, je l'ai ressentie comme un abandon. Elle était partie se reposer en me laissant seul avec ma charge lourde de vingt années de défaite. Je me suis mis à envier sa mort. Qui aurait dit que, moi, le boute-en-train des soirées, le fougueux, l'intrépide, celui qui avait mille projets et qui les réalisait tous, aurait un jour envié la mort de qui que ce soit. Si la mort de ma fille m'a brisé, la maladie de mon fils m'a haché menu. Moi, le gagnant, je portais ma défaite. Tous les jours, qu'il soit à la maison ou à l'hôpital ou perdu quelque part dans la ville, je vivais l'échec. L'échec de ma vie.

Si je considère que la mort de ma fille est un coup du destin, il est certain que la maladie de mon fils est une injure suprême faite à la vie dans ce qu'elle aurait pu avoir de plus beau et de plus accompli.

Ma fille aînée me disait: « Il faut accepter, père. » Accepter ? Mais comment accepter ? Comment accepter l'inacceptable sinon par la mort ou par cette mort déguisée qu'est l'oubli ?

Finalement, Dieu m'a aidé en détériorant mon corps et mon esprit peu à peu; est-ce qu'il aidera mon fils, finalement ? *At least. At last.*

Chacun de nous a à écrire un livre, son livre. Même si on dit que ce livre est déjà écrit, il faut quand même l'écrire, c'est-à-dire le vivre.

Que vive la mémoire qui m'a usé, que vive l'oubli qui m'a délivré.

La vie est bien faite. Bientôt j'aurai tout oublié. Mourir ici sur ce banc, dans ce lit, tranquille, sans histoire, comme si je n'avais jamais existé, sans ressentiment, sans colère, sans aucune parcelle d'histoire qui me garderait lié à ce monde. J'aurai tout oublié.

Bientôt je penserai que ce banc est un lit, que ce lit est un linceul. Personne ne me dira le contraire. Personne ne me contrarie. Mais la peine dans les yeux de mon enfant, je la vois, la peur n'a pas besoin de mots, la peur se voit. Bientôt je ne saurai plus ce que c'est. Ce que je verrai, dans les yeux de celui qui me regarde, je ne saurai plus ce que c'est. Je serai à mille lieues de la peur, de la peine, de la volonté, du désir.

Il tourne autour de moi comme un oiseau en cage.

Mon oiseau, mon enfant.

Je lui tends la main, il ne la voit pas.

Mon amour

Viens te coucher à côté de moi.

Non. Vis. Tu es un homme maintenant.

Je me suis toujours demandé

C'est ma seule inquiétude

Quand je ne serai plus là…

Tu es mort si souvent dans mes bras, mon adoré, mon oiseau aux plumes rêches.

Arrête de tournoyer.

Viens te reposer pour toujours.

Non. Vis. Maintenant, tu es un homme.

Allah t'a mis sur mon chemin pour que je m'humanise.

Il t'a enlevé la raison pour que je devienne sage.

Et toi, mon fils, pourquoi moi, pourquoi as-tu choisi un père tel que moi ?

Ta mère me l'a toujours dit : « Tu aimes trop cet enfant, tu vas l'étouffer. » Je t'ai peut-être étouffé, Radwan, mon enfant, mais jamais je ne pourrai me résoudre à croire que je t'ai trop aimé.

C'est impossible de trop aimer. L'amour est inatteignable. On tend vers lui... Si je l'avais aimé assez, il...

Peut-être l'ai-je mal aimé. D'un amour aveugle et volontaire. Est-ce que l'amour n'est pas toujours aveugle et volontaire ?

Tu es né sous le signe de la démesure, mon fils, et moi, ton père, sous le signe de la passion. Nous étions faits l'un pour l'autre.

Les prières de ma mère ont été entendues, les parois de mon cœur sont devenues si minces, si poreuses. Ta souffrance m'a atteint sans ménagement. Ta dévastation m'a dévasté. « Culpabilité », a dit ma fille. « Sentiment de culpabilité », a-t-elle répété. Il faut avoir fréquenté des psys de tout acabit pour dire des âneries pareilles. Parler avec des enfants élevés dans une autre culture, c'est frapper sur une derbouka fissurée, sans cage de résonance. Comme si un père ne pouvait pas aimer son fils à l'infini, juste parce qu'il est son fils, et que ce fils a infiniment besoin d'être aimé. Ridicule. Aimer parce que je me sens coupable ? Si j'avais tué, je pourrais me sentir coupable, mais comment puis-je me sentir coupable d'aimer ?

Le livre
de Radwan Omar Abou Lkhouloud
(suite)

Si pouvoir – équivalait à vouloir –
Ténu serait – le Critère –
C'est l'Ultime de la Parole –
Que l'Impuissance à Dire –

EMILY DICKINSON

Bégayer un geste. Une petite action. N'importe laquelle. Faire quelque chose. Pas rester figé avec tête à cent à l'heure. Tête qui grappille. Corps qui rapetisse avant de devenir Hulk. Je le sens. Je vais craquer. Le corset. Out. Out. Zoom out. Zoom out mon père et son corps mort. J'ai vu trop de films. Le corbillard, puis personne. Une personne. Suivant le mort. Sous la pluie. Je ne peux pas faire ça à mon père. Même si. J'aime mieux péter les fuses. Les regrets et les remords viendront après. Habitué. Les regrets et les remords après. Et la honte. J'ai hâte d'arriver à cette masse lourde dans mon ventre, dans ma tête. Bégayer un geste. Si simple pour n'importe qui. Prendre le téléphone. Composer un numéro. Dire clairement: mon père est mort. Venez le chercher. Je le sais que ça se fait. Un enfant est capable de le faire. J'ai trois ans, maman. Papa a honte de moi. L'incapacité d'agir quand il est encore temps. Insupportable. Un frétillement. Un acide me brûle le plexus. Je suis dans la possibilité de. La torture. J'aime mieux la torture. Mettre le feu. Brûler avec mes chiens et mon père. Feu et cendre. Cendre et feu. J'aimerais écrire ma vie d'abord. Un beau petit livre avec rien que de la douleur vive. Insupportable. Personne n'arriverait à le lire. Mais au moins, moi, je l'aurais écrit. Attendre. Laisser passer le temps. Et le trop tard arrive. Le trop tard arrive toujours. Une délivrance. La paix. Ne plus avoir à faire quoi que ce soit. Plus rien à faire, c'est trop tard. Chercher les cassettes de prières. L'appel à la prière. Le Coran. Je veux crier. Rawi mon frère où es-tu? Je ne sais pas crier. J'explose ou j'implose. Flying to the moon. L'un ou l'autre. Jamais les deux. Un temps pour chaque chose. C'est écrit noir sur blanc dans l'Ecclésiaste. Ma mère n'arrêtait pas de nous casser les oreilles avec ça. L'équilibre. Le juste milieu. La voie du milieu. My mother was Buddha's sister. She was born in India long time ago. Help me, Soraya Soraya ma sœur aide-moi. Je veux flyer, partir, m'envoler, débarrassé de toutes contraintes, devenir un fou. Mon père mort s'est accroché à ma jambe, il a mis ses doigts dans mon crâne, il me retient. Ici. Je suis condamné. À devenir un homme. Il m'a dit un jour. Quand je mourrai tu deviendras un homme. Je suis un fou, père. Un fou. Pas un homme. Soraya, dis-lui de me lâcher. Lâche-moi. Lâchez-moi. Je veux. Je veux. Rien. Rien. Oui. Je veux. Que l'on donne mon corps aux chiens.

D'habitude, c'est papa father daddy padre bayé abouna baba qui faisait le café. Presque jusqu'à la fin. Quand il a commencé à oublier le café sur le feu, c'était le commencement de la fin. Mon père sans mémoire, c'est pas mon père. Je l'ai serré si fort. Il est revenu à lui. Ç'a pas duré. Il savait plus le nom de son meilleur ami avec qui il a passé les meilleures années de sa vie. Il a oublié Hoda. Pendant une seconde. Sa bien-aimée. À côté de ça, un électrochoc, c'est de la p'tite bière, comme ils disent. Tu vas m'étouffer, mon fils, je n'ai plus ton âge, tu veux ton café très sucré comme d'habitude? Oui, père, fait de tes mains, je le prendrais même amer. Il a ri parce que je venais de me souvenir d'une expression que seuls les vieux disent. Nous avons pris notre café, lui au bout de la table, moi au milieu, avec le cendrier entre nous. Sa cigarette s'est consumée sur le cendrier, à la fin elle a basculé, le filtre plus lourd que ce qui restait de tabac. Il n'a rien vu. J'ai écrasé sa cigarette dans le cendrier sans qu'il s'aperçoive de rien. Il continuait à raconter une histoire qu'il m'avait racontée cent fois.

J'ai fait du café. Une cafetière pleine. Épais et sucré. J'ai rincé une petite tasse. Une seule. Aucun mot ne sort de ma bouche même si le café favorise la parole. Je m'efforce de bouger les lèvres. Ça ne marche pas. Mes larmes coulent sans que je me force. Le café sucré est bon. Avec un peu de sel c'est encore mieux. Je devrais téléphoner à mon frère. Salma est déjà dans la nuit. En Belgique, c'est déjà la nuit. Ça se fait de parler à son frère le soir de la mort. Tout est permis le soir de la mort. Pour entendre la voix de mon Rawi, pour entendre la voix de moi, Radwan. Boire un café seul. Sans mon père. Sans qu'il me dise ce que je pourrais faire aujourd'hui. Ce que je devrais faire. Aujourd'hui, et demain, et toute ma vie. Boire un café seul sans aucun son de cloche pour réveiller ma joie, sans les mots-cendre pour éteindre mon feu. Prendre un café seul avec ma tête pleine de vent. Plus de maman, plus de papa, plus de grande sœur, plus de grand frère. Plus un mot qui bouge dans le vent. Dans. J'ai encore beaucoup de cigarettes pour tenir.

Bamako, Ego, Bacha, Abel, Solo font la procession autour du lit de mon père. À la queue leu leu. Aller-retour sans arrêt. Ils reniflent la mort. Adieu Omar, je t'aimais bien. *Je veux qu'on danse. Je veux qu'on rie. Adieu l'Émile je t'aimais bien. Quand est-ce qu'on me mettra dans le trou?* Mes chiens, mes tout-petits, mes écorchés font le tour du lit et recommencent. Sentez sentez reniflez absorbez léchez léchez mangez dévorez la chair d'Omar fils de Khaled fils de Hafez fils de Yasser fils de Rachid fils de Hawqal fils de Muhammad. Prophète des prophètes. Si j'étais féministe comme ma sœur Salma, je dirais: que sont les femmes devenues, ces hommes n'ont-ils pas eu de mère? Elle a bien fait de déguerpir celle-là. Tout va bien. Tout va bien. Il y a encore beaucoup à manger. Oui, Bamako, grand-père est mort. Arrête de pleurer, Abel. Oui, il est mort. Oui. Je sais. Je dois faire quelque chose. Je suis le fils, je dois accompagner mon père à sa dernière demeure. Digne. Je suis un fils digne. Le premier fils de la famille. Prendre mon père dans mes bras. Le mener à. Aidez-moi. Aidez-moi. Bamako, Ego, Bacha, Abel, Solo. Aidez-moi. Il me reste vous. Mes fils bien-aimés. Il ne me reste que vous. Bons chiens, oui, bon chien. Bon chien.

Même le temps mauvais il passe. Vingt-quatre heures. Vingt-quatre ans. Il faut que le corps soit lavé. Allah akbar. Allah le tout-puissant. Mon père m'a raconté que le corps du mort ne doit pas être lavé par un descendant ni un ascendant. Je suis le descendant de mon père. L'ascendant de personne. Je serai lavé par un infirmier de l'hôpital. Sinon quelqu'un de la rue me lavera. Reviens. Reviens à moi, fils. Oui, père. Je ne peux pas te laver père, je suis ton fils. Même le fils bien-aimé ne peut pas laver son père. C'est la loi de l'islam. Je pourrais aller chercher notre voisin. Tu m'as raconté que ce sont les voisins qui s'occupent du mort. Ils s'occupent de tout. Les éplorés pleurent, c'est tout. Je n'arrive pas à pleurer. Je suis dans un nuage. Une bulle blanche. Pour aujourd'hui je serai hindou. C'est le fils aîné qui prend son père dans ses bras et l'emporte au bûcher. *Dis: Ô mon peuple! Agissez selon vos habitudes, moi, j'agis différemment!* Je suis le fils aîné. Je laverai mon père. Les voisins ou la parenté, a dit mon père. Nous n'avons ni voisins ni parents. Seuls au monde. Mon voisin je le connais pas. Il me regarde, il me sourit. C'est tout. Duranceau mon cul se prélasse au soleil pendant qu'il fait neige et froid ici. Rendre hommage à notre père. Il faut des prières. Où sont mes cassettes de Coran? Mes cassettes du Coran. Père, où sont nos prières? Tu m'as dit qu'il fallait des prières. Toute la journée il faut entendre des prières pour le repos de ton âme et de la mienne. Quand ma mère est morte, j'étais à l'hôpital. On m'a tout raconté. Après. Je n'ai pas vu ma mère morte. J'aurais trop sangloté. On l'a couverte d'un linceul blanc pendant que j'étais dans ma camisole blanche, dans un cachot tout capitonné pour pas que je me fasse mal. Mère, je ne t'ai pas vue mourir. Ni vivante ni morte. Où trouver le linceul ? Un drap blanc. Où sont les draps blancs immaculés ? Papa tu savais que tu allais mourir. Où as-tu mis les draps blancs ? Téléphoner à ma sœur, elle saura me dire où sont les draps blancs. Radwan tu es un homme. Rassemble ton courage. Il m'a dit en direction de La Mecque. Sud-est. Il m'a dit sud-est. Makka. Ferme la télévision, mon fils. Il ne faut aucun autre son. Aucun autre son que les prières du Coran. Quelle sourate, père ? Celle que tu trouveras, mon fils, peu importe, il faut l'eau calme du Coran. Bois de l'eau. Il faut boire de l'eau pour te purifier. Beaucoup d'eau. Que de l'eau. Le voisin est un homme bon. Il pourra m'aider. Pourquoi notre père ne voulait pas qu'on parle aux voisins ? Regarde ses yeux, il a de bons yeux, notre voisin, je suis sûr que son cœur est bon aussi.

La chambre du mort doit être vide. Vide de tout ce qui rappelle la vie. Il faut que son corps s'allège. Pour monter très haut dans le ciel, il faut devenir léger. Je le sais, je le sais. Il faut tout vider. Sortir les commodes, les coussins, les lampes, les chaises, la poussière. Tout. Il le faut. Il le faut. Tout doit être propre. Pur. Est-ce que je peux mettre des cierges autour de ton lit, père ? Est-ce que les musulmans aiment la lumière des cierges, père, ou peut-être est-ce seulement les chrétiens qui les aiment ? Par où dois-je commencer ? Dis-moi, père. Dis-le-moi. Père, aide-moi. *Père, pourquoi m'as-tu abandonné ?* Le prophète Jésus, fils de Marie, a dit cette phrase célèbre avant de mourir sur la croix. Père, cette phrase est répétée depuis des siècles et des siècles, car tous les fils ne peuvent pas devenir des pères à leur tour. Tous les fils ont besoin de leurs pères pour devenir des hommes. Radwan, ton fils, te le demande à genoux. Père, aide-moi.

Heureux celui qui porte le burnous de son père. Il est beau ton burnous, papa. Ton linceul est attaché et non cousu comme il se doit. Tu vois papa, je n'ai rien oublié de tout ce que tu m'as transmis. J'embrasse ton front, père, comme il se doit. Quand j'ai pensé que c'était la dernière fois que je t'embrassais, ma tête a fait un tour complet sur elle-même. Je me suis relevé, j'ai respiré respiré, j'ai dit à ma tête de ne pas devenir folle, que je te reverrai bientôt, et ma tête m'a cru. Ça a marché. J'ai trouvé le pot de miel, il en restait juste un peu. J'en dépose une cuillerée dans ta bouche entrouverte. C'est toi l'enfant pendant quelques secondes. J'aurais tant aimé que tu sois mon fils, j'aurais été si fier de toi. Baba je vais m'ennuyer sans toi. Ça fait presque quarante ans que nous sommes ensemble, main dans la main, même quand je suis à l'hôpital. C'est toujours toi qui venais me voir avec des cadeaux et de bonnes choses à manger. Et des cahiers pour écrire. Attraper l'âme des morts. C'est ce que j'essaye de faire quand j'écris. Attraper l'âme de la mort. J'aurais tant aimé te montrer le livre que j'ai écrit. Tu es mort trop tôt, ya baba. Je voulais te montrer mon livre avec le mot FIN écrit en majuscules à la dernière page.

Je creuse et je creuse avec mes dix doigts. La neige a durci par endroits. Mes mains sont rouge sang écrevisse pivoine. Les musulmans disent : tu seras enterré là où tu es mort, car la terre est la terre d'Allah. La neige aussi est la neige d'Allah. Mon père sera enneigé dans le pays qu'il a choisi. Il aurait pu aller vivre n'importe où dans le monde, il est venu ici à cause du froid et de la neige. Mon père n'aime pas la chaleur. L'été, il nous laissait à Souk-el-Gharb et montait encore plus haut. Des heures à rouler dans la montagne pour aller voir la neige à Faraya. Il ne supportait pas la chaleur. L'été, il était sans force, malheureux, dégoulinant de sueur, serviette mouillée sur le crâne. Que l'hiver revienne, que l'hiver revienne, j'étouffe ! Il sera bien ici, bien au froid, dans sa dernière demeure. Heureux comme un pape, comme ils disent. Un pape musulman.

On a frappé à la porte. La porte arrière. Une chance que j'étais pas à la cuisine en train de me faire du café. J'entends d'autres coups. Je ne bouge pas. Quelques secondes minutes heures. D'autres coups encore. Le silence. Mon cœur cogne. Je risque un œil. Je vois quelqu'un de dos. Un homme. Il descend l'escalier. Je pense que je le connais. Ses cheveux poivre et sel. Une belle chevelure un peu comme celle de maman à la veille de sa mort. Il tourne vers la gauche. Je cours vers la chambre qui donne sur la gauche. C'est notre voisin. Son manteau est ouvert. Il court presque. Il sonne à la porte d'en avant. Je ne bouge pas. Plusieurs coups. Je ne bouge pas. Je sais qu'il est là, c'est ce qu'il se dit. Il insiste. Il a essayé si souvent de nous parler. C'est un homme persévérant. Ça se voit. C'est un homme bon. Je le sais. J'en ai parlé à mon père. Il ne voulait pas. Mon père aussi est un homme persévérant. J'entends : Monsieur, je suis votre voisin. Êtes-vous là ? Il sait que je suis là. Sinon il n'insisterait pas autant. Mon ventre me fait mal. Mes chiens jappent à qui mieux mieux. Je ne bouge pas. Mon plexus a une violente attaque d'acide. Je ne bouge pas. Même la persévérance a des limites ; comme mon père, il a lâché. Les rideaux du salon sont tirés. J'en profite. Je suis un acteur traqué qui regarde d'un œil la salle. Pleine ou vide. Je le vois descendre l'escalier. Il va tourner à gauche, rentrer chez lui. Il reste planté là. Face à la rue. Il tourne à gauche. Je suis sauvé. Je viens de perdre mon seul spectateur. Je suis sauvé. Seul. Enfin. Mon plexus continue à faire du grabuge. Mon plexus a raison, le voisin s'arrête et vire de bord.

Revient sur ses pas. Mon voisin vibre aux émotions. Démissionne pas facilement. Un vrai Québécois. Il remonte l'escalier. À la case départ. Il ne sonne pas. Il gratouille. Il tambourine. Tout doux. Il fait des gammes. *Do ré mi fa sol do ré mi fa sol.* J'entends : Radwan... Radwan... Il prononce bien mon nom. Comment sait-il mon nom ? Radwan... Radwan... En allongeant la deuxième syllabe. Sans nasale. Radwaann. Exactement comme le faisaient mon père et ma mère, mon frère et mes sœurs. C'est la première fois qu'un étranger. Peut-être qu'il n'est pas québécois francophone mais québécois arabophone. Mon père a peut-être sauté trop vite à la conclusion pas de voisinage avec les étrangers. J'entends : Radwan, je suis votre voisin. Je m'appelle Lucien Laflamme. J'aimerais vous parler. De quoi veut-il me parler ? J'entends : Radwan, je ne vous veux aucun mal. Vous pouvez me faire confiance. On est voisins depuis si longtemps. Laissez-moi entrer. Laisse-moi entrer, Radwan. J'ai une chose très importante à vous dire. Silence. Long silence. J'entends : J'ai quelque chose à te dire, mon garçon... Je voudrais te parler, mon garçon... Je fonds. Je deviens liquide. Je suis un chien galeux qui reçoit une caresse. Mon premier chien, Bamako-à-la-langue-pendante. Et Ego-à-la-patte-cassée, et Bacha-sans-poil, Abel-le-galeux et Solo-l'affamé. Je suis un cœur qui bat à la tendresse. Juste entendre cet étranger m'appeler mon garçon avec cette douceur... L'acide de mon plexus se répand. Mon cœur ne tient plus. Il me reste encore la force de marcher. Traverser le salon. Ouvrir la porte du vestibule. Ma main déverrouille la porte.

Il me tend la main. Je vois ma main aller vers sa main. Il me serre dans ses bras. J'entends : Toutes mes condoléances, Radwan. Je sais que vous aimez beaucoup votre père. Toutes mes sympathies. Comment sait-il que j'aimais mon père ? Je ne l'ai pas tué. Je n'ai pas tué mon père. Il est mort. Je l'ai serré très fort pour qu'il revienne à lui. C'est tout. Je. J'entends: Je sais, je sais. Calmez-vous, mon garçon. Cet homme est un grand sorcier. Il me dit de me calmer et je me calme.

– Quand est-ce que c'est arrivé? Cette nuit?

– Non. La nuit dernière. Chez les musulmans, il faut…

– Vous êtes musulman? Chez les musulmans, le mort doit être enterré très vite, dans les vingt-quatre heures, je crois.

– Comment vous le savez?

– Les livres, c'est fait pour circuler… Je suis comme vous, j'aime lire. Les religions et les philosophies, ça me fascine. Je m'intéresse beaucoup à l'islam, surtout depuis le 11 septembre. J'essaye de comprendre… Avez-vous prévenu votre frère, vos sœurs? Avez-vous de la parenté?

– Non. Oui. J'ai téléphoné. Ils ont des répondeurs. Je sais pas parler avec des machines.

– Je comprends… Il faudra quand même trouver une solution… Vous savez que votre père ne pourra pas rester dans le jardin. Y a un redoux. La neige est en train de fondre. Son visage est déjà à découvert.

– Je sais pas quoi faire. Je sais pas quoi faire. J'ai tout fait. Les prières et le miel. J'ai lavé son corps. Il est prêt. À partir.

– Oui, oui, tout est parfait. Calmez-vous, mon garçon.

J'entends: Il faudra manger un peu. Je rêve. J'ouvre les yeux. Je rêve. Un homme aux yeux bleus est penché au-dessus de mon lit et me sourit. J'entends: Vous avez bien dormi? Je vous ai fait une soupe aux lentilles. Vous aimez les lentilles? Je suis mort. Au paradis. Est-ce qu'on mange des lentilles au paradis?

J'entends: Je suis Lucien, votre voisin... N'ayez pas peur... On sonne à la porte. Vous voulez que j'aille ouvrir?

– Non. J'ai peur. La police... Ils vont me rentrer...

– Je suis là, Radwan, je suis là. Calmez-vous.

– Excusez-moi, je crois que je me suis trompé de porte.

– Non, vous êtes bien chez vous. Votre frère se repose dans sa chambre.

– Et mon père?

– Il est dans le jardin.

Mon frère. Mon frère. Mon frère. Il ouvre la porte doucement. Il se jette sur moi. Me serre si fort. Il a fallu la mort de père pour que Rawi me serre dans ses bras. J'entends des pleurs. Beaucoup de pleurs. Moi aussi. Ça fait longtemps que j'arrive pas à pleurer.

– Notre père est mort, Rawi, notre père est mort.

– Allah yerhamo, Allah yerhamo...

– J'ai fait tout ce que dois. J'ai tout fait selon. Les prières et le miel. J'ai lavé, vidé la chambre. Tout. Il est enneigé notre Omar, notre père, notre pilier. Rawi, c'est ton père à toi aussi, n'est-ce pas?

– Oui, c'est mon père. À moi aussi.

– Notre père repose dans la neige. Tu te rappelles, Rawi, combien notre père aimait la neige?

– Oui, oui, tu as bien fait Radwan mon frère, tu as bien fait.

– Nous sommes orphelins, mon frère, tout à fait orphelins. On a perdu notre pays d'enfance, puis notre mère et, depuis un siècle, notre père. Vécu cent ans depuis la mort de papa, tu sais. Mais moi, je suis un malin, je suis un chanceux, j'ai trouvé M. Laflamme qui a les cheveux de maman, qui a son sourire aussi. Il m'a dit qu'il viendra me voir à l'hôpital.

– Moi aussi je viendrai, Radwan. Je viendrai.

J'entends des pleurs. Beaucoup de pleurs.

– Mais toi, Rawi, tu es occupé, tu es toujours occupé. M. Laflamme aime l'islam, tu sais. Il habite juste à côté. C'est un homme bon, il a la même voix que papa. Je vais devenir un homme, tu sais, Rawi, je vais devenir un homme. Père a dit : À ma mort, mon fils, tu deviendras un homme.

– Mais tu es un homme, mon frère.

– Est-ce qu'un fou est un homme, Rawi ?

J'entends :

– Oui. Un fou est un homme. Mais tu n'es pas que fou. Tu es sage aussi.

– Est-ce que tu l'annonceras dans les journaux, la mort de notre père ? Et à la télé ? Est-ce qu'on dira que le père du célèbre romancier Pierre Luc Duranceau est mort dans les bras de son fils aîné, Radwan ?

– Oui.

– Mais comment ils sauront que je suis ton frère ?

J'entends :

– Je le leur dirai. Que je suis ton frère. Que tu es un homme. Que tous les hommes ne sont pas obligés d'être tous pareils. Que tu es un homme bon. Douloureusement bon. Que tes antennes sont si longues qu'elles touchent parfois au paradis.

– Est-ce que tu leur diras que tu m'aimes ?

– Je leur dirai que je t'aime. I will also tell them that you are a pain in the arse.

– Pas très gentil ça. Pas digne d'un grand écrivain du Québec. Quel langage ordurier ! En anglais, en plus !

– Allez, lève-toi. Arrête de jouer à l'idiot. Il faut aller enterrer notre père. Tu dois d'abord téléphoner à Salma et à Nabila.

– Non, toi.

– Tu es mon aîné, Radwan, cette tâche te revient.

– Tu sais, Rawi, père en mourant a emporté avec lui des kilos, des tonnes, des livres de peur. Mais quand même reste à côté de moi.

– Je suis là.

M. Laflamme est déjà sur son balcon. La neige brille de soleil. M. Laflamme nous sourit et nous envoie la main. Mon frère et moi, nous répondons à son sourire, et à sa main qui sait faire de bonnes soupes et bien d'autres choses…

Que la terre lui soit légère… Et mon frère a répété après moi. C'est ce que les Togolais souhaitent à leurs morts. Que la terre lui soit légère…

J'ai dit à mon frère : Maintenant que j'ai commencé le travail, j'ai juste à continuer… Mon frère m'a souri. Rawi a le plus beau sourire du monde, je crois. Pas étonnant que ses lectrices dorment avec ses livres.

Tu sais Rawi, je suis pas fou, je sais que la neige finit toujours par fondre, comme nos peines, nos douleurs, comme nos vies. Mais la terre, elle, est toujours là, même si parfois elle tremble sous nos pieds, même si parfois elle s'ouvre et nous engloutit. Nous enterrerons notre père là où sa peine fut si grande, ici, en ce pays. On dit que la terre carbure à même nos souffrances et que c'est comme ça qu'elle se nourrit. Que le sang des humains se change en eau une fois que le souffle s'éteint, que cette eau fait pousser les plantes et les arbres. Tu sais, Rawi, que ceux qui tombent au combat n'ont pas besoin d'être lavés pour être purifiés. C'est bien là la preuve que la peine et le sang se transforment en eau.

– Rawi, est-ce que tu auras des enfants un jour ?

– Oui, je pense que oui.

– Alors je pourrai vieillir et mourir tranquille… Tu leur apprendras notre nourriture et notre langue ?

– Oui.

– C'est très bien, Rawi… Moi, je leur raconterai nos histoires…

– Tu leur liras aussi ton livre, quand il sera fini.

– J'ai peur.

– Un livre qui ne fait pas peur à celui qui l'écrit n'est pas un livre, Radwan. Un jour, tu le finiras, ton livre. Et tu le liras à tous ceux qui voudront entendre.

Remerciements

Je remercie Fathi Belhadj qui m'a guidée dans ma recherche sur la religion musulmane et en particulier sur les rituels entourant la mort. Ses conseils, ses histoires ainsi que sa lecture des différentes versions de mon roman m'ont été précieux.

Je remercie Sarah, ma sœur, mon amie, pour la justesse de son analyse qui m'a souvent éclairée. Infatigable, elle a lu et relu, elle m'a poussée à continuer, à aller plus loin, à aller jusqu'au bout.

Je remercie Carole, Céline, Jean-Yves, Manon, Pierre, Sabine, Simone, pour leur lecture, leurs conseils. Et Louise, pour la belle couverture.

Merci à ceux et à celles qui m'ont inspirée par leurs écrits, par leur musique ou par leur vie…

Table

Le livre de Lucien Laflamme 11

Le livre
de Radwan Omar Abou Lkhouloud 19

Le livre de Pierre Luc Duranceau
alias Rawi Omar Abou Lkhouloud 79

Le livre de Lucien Laflamme (suite) 127

Le livre
d'Omar Khaled Abou Lkhouloud 149

Le livre
de Radwan Omar Abou Lkhouloud (suite) ... 169

Cet ouvrage composé en Minion corps 12
a été achevé d'imprimer
le vingt-quatre février deux mille cinq
sur les presses de Transcontinental
pour le compte de
VLB éditeur.

Imprimé au Québec (Canada)